KB172066

매 순간이 출발

열일쓰

매 순간이 출발

발행 | 2023년 11월 16일
저자 | 열일쓰(해야, 골방지기, 진주, 글짓는앤, 한박)
편집 | 박민정
표지디자인 | 박민정
펴낸이 | 한건희
펴낸곳 | 주식회사 부크크
출판사등록 | 2014.07.15(제2014-16호)
주 소 | 서울특별시 금천구 가산디지털1로 119 SK트윈타워 A동 305호
전 화 | 1670-8316
이메일 | info@bookk.co.kr

ISBN | 979-11-410-5332-1

매 순간이 출발

해야
골방지기
진주
글짓는앤
한박

시작하는 글

여행 안내서

열일쓰는 2022년 개성 넘치는 4인 4색 이야기를 엮어 첫 책을 출간했다. 온전히 우리 힘으로 이룬 쾌거였다. 『무사히 마침표를 찍었습니다』라는 결승 테이프를 성공적으로 끊었으므로 안도하고 축하했다. 같이 쓰고 고치는 동안 쌓인 피로도 잊어버리고 두 번째 책을 낸 것은 우리가 여전히 **열정으로 일단 글을 쓰는 사람들, 열일쓰**이기 때문이다.

『매 순간이 출발』은 제목 그대로 늘 출발하는 다섯 여행자의 이야기가 담겨 있다. 우리는 '여행'이라는 큰 테두리 안에서 지나온 삶의 궤적을 그려 보았다. 여행은 어딘가로 떠나는 물리적인 행위에 국한되지 않는다. 반복되는 일상처럼 익숙한 곳에서도, 부대끼며 살아가는 사람들 사이에서도, 문득문득 떠오르는 지난 기억과 내면을 마주하는 순간에도 여행은 계속된다.

낯선 여행지에서 불확실한 변수들 때문에 길을 잃기도 하고 갈등도 겪지만 잊지 못할 추억을 만들기도 한다. 그래서 우리는 어딘가로 다시 또 떠날 준비를 한다. 익숙한 삶 속에서도 이전과는 다른 감정을 느끼고 수많은 관계 속에서 크고 작은 갈등을 경험하는 걸 보면 삶도 여행과 비슷하지 않을까? 늘 같은 하루란 없다. 우리는 매번 낯선 하루를 살고 있다.

지나온 시간은 즐거운 추억으로, 때론 쓰라리고 아련한 그리움으로 기억된다. 낯익은 물건들에서 한 편의 기억을 끄집어내기도 하고 어떤 기억은 잊고 살았던 삶의 한 점으로 나를 데려다 놓는다. 기억은 단순히 즐거운 추억만 선물해 주지는 않는다. 거울처럼 현재의 나를 돌아보고, 앞으로 나아가게 한다.

나와 연결된 많은 사람 속에서 우리는 매일을 살고 있다. 가장 가까운 가족, 함께 시작점에 서 있는 동료, 뉴스 화면에 비친 이름 모를 타인들까지. 이렇게 누군가와 울고 웃고, 내 일처럼 안타까워하고 공감하며 하루를 사는 것도 또 다른 여행이다.

내면으로 떠나는 여행도 있다. 나와 마주하는 시간은 어색하고 불편하지만 고요한 마음으로 들여다보면 보다 나은 곳으로 나를 이끈다. 흔히 마음에는 일곱 개의 서랍이 있다고 한다. 추억의 서랍을 열면 잊고 있던 기억이 떠올라 곁에 있는 사람들이 더욱 소중해지기도 했다. 무거운 마음이 담긴 서랍은 열기 어려웠지만, 용기 내서 글로 풀어보니 조금씩 마음의 짐이 가벼워졌다. 우리는 글쓰기를 통해 슬픔을 위로받고 상처가 치유되는 경험을 했다.

이 책은 살아오는 동안 우리가 경험하고 느끼고 깨달았던 순간을 담은 여행기다. 스물일곱 편의 여행기가 읽는 이의 마음에 가닿아 적게나마 위로가 되고, 응원이 되기를 바란다. 그것이야말로 끊임없이 고군분투하면서도 계속 글을 쓰는 이유다. 불안을 감내하고 떨리는 마음을 동력으로 삼아 매번 글쓰기라는 출발선에 선다. 삶이 이어지는 한 완전한 마침표는 없다. 마침표를 찍었다고 생각한 순간 우리는 또 다른 출발선에 서 있을 것이다.

이 책과 함께하는 시간이 여러분에게도 즐거운 여행이 되길 기대한다.

여행 일정표

사람들 사이로

거울 속으로

작가의 말

낯선 곳으로

여행이 뭐냐고 물으신다면

골방지기

2006년 11월 나는 파리에 있었다. 평소 영화나 소설에서 만난 파리는 대단히 낭만적이었기 때문에 여행을 준비하는 내내 기대감에 잔뜩 차 있었다. 그런데 출발 며칠 전에 접한 신문 기사는 파리 여행을 불안하게 만들었다. 내용인즉슨 '아름다운 낭만의 도시-파리'를 기대했던 한 일본인이 귀국하자마자 심각한 파리 증후군으로 자살했다는 것이었다. 파리 증후군이란, 상상하던 파리의 이미지가 현실과 너무 달라서 생기는 실망감이 신체적, 정신적 증상으로 나타나는 일종의 극단적인 문화충격 현상이다. 그 기사를 보고 처음 든 생각은 '도대체 어떻길래!'였다. 신조어가 생길 정도의 충격이라니 잠깐 불안했지만 기대감에 잔뜩 들뜬 나에게는 전혀 문제가 되지 않았다. 하지만 그땐 몰랐다. 내가 파리 증후군을 경험하게 되리라는 것을.

파리 여행 기간은 고작 나흘이라 유명한 관광지만 돌아다녀도 턱없이 모자란 시간이었다. 그 와중에 첫 번째 파리 여행이니까 보고 싶던 그림은 꼭 보고 가겠다는 일념으로 파리 시내에서 갈 수 있는 유명한 박물관으로 일정을 채웠다. 나름대로 '박물관 여행'이라는 주제로 선택과 집중을 했다. 한 시간이면 충분히 관람할 로댕 미술관에서 작품을 하나도 놓치지 않고 보겠다며 둘러보다가 세 시간이나 걸렸다. 루브르 박물관에서는 문 열 때 들어가서 저녁 시간이 다 되어서야 나왔다. 그렇게 박물관마다 하나하나 꼼꼼히 보고 다닌 바람에 체력은 체력대로 바닥났다. 비슷한 그림을 너무 많이 보다 보니 정작 머릿속에 남은 건 없고 뒤죽박죽 섞여버린 물감처럼 엉망이 되고 말았다. 야심 찼던 나의 선택과 집중은 실패했다.

파리의 거리 풍경도 생각만큼 아름답지 않았다. 광장에는 거지들이 구걸하고 있었고 센 강변으로는 부랑자들의 텐트가 가득했다. 여행 내내 날씨는 흐렸고 기습적으로 내리는 비 때문에 습했으며 11월인데도 기온이 높았다. 강 옆을 걸어갈 때면 고약한 냄새가 코를 찔렀다. 완전히 실망스러웠다. 나도 파리 증후군이었다. 이후로 영화에서 낭만적인 파리 풍경이 나오면 나도 모르게 비웃음이 났다.

그랬던 내가 2020년 1월, 다시 파리에 있었다. 이번에는 아이들도 함께였다. 해외여행을 계획하면서 아이들은 에펠탑을 보길 원했고 파리 길거리에서 파는 디저트를 먹고 싶어 했다. 나는 가봤자 실망할 거라고 반대했지만, 두 딸의 선택은 '오직 파리'였다. 내 편일 줄 알았던 남편도 딸들 편을 들었다. 결국 우리는 파리로 갔다.

여행 계획을 짤 때 네 식구 모두 하고 싶은 것을 하나씩 넣었다. 두 딸이 가보고 싶어 했던 곳은 아이들이 미리 알아보고 직접 안내하기로 했다. 남편은 맛있는 프랑스 가정식을 먹겠다고 했고 나는 파리 근교에 있는 고흐의 집에 가고 싶다고 했다. 그리고 나머지 일정은 여행 책자에 있는 유명한 박물관을 기준으로 내가 동선을 짰다(그새 나는 몇 년 전 실수를 까맣게 잊었다). 우리는 이번 여행을 '일주일 파리살이'라고 이름 붙였다.

공유 숙박 앱으로 프랑스에서 가장 오래된 지역인 마레 지구(Le Marais)에 숙소를 구했다. 마레 지구는 원래 귀족들이 살던 지역으로 18세기 이전에 지어진 저택들이 아직도 남아있었다. 지하철을 내려서 큰길을 따라가다 보면 대문호 빅토르 위고가 살았던 저택(지금은 무료 박물관이다)이 보인다. 거기부터 길을 따라 이어진 건물들의 모습은 마치 18세기 풍경 같았다. 정말 근사했다. 우리가 일주일 묵을 숙소가 그중에 있다는 건 상상만 해도 가슴이 두근거렸다. 숙소 앞에 도착하자 벨을 누르면 집사가 나올 듯한 크고 높은 문이 보였다. 골조를 그대로 남기고 개조한 숙소는 들어서면서부터 중세 파리 그 자체였다. 한쪽 벽을 차지한 커다란 창밖으로는 비슷한 모양의 뾰족한 지붕들이 계속 이어져 있고 그 뒤로 불타버린 노트르담 대성당의 일부가 보였다. 또 숙소 바로 앞에는 학교로 사용하고 있는 ㄷ자 형태의 저택이 보여 옛 파리의 모습을 상상해 볼 수 있었다. 천장에는 작은 창이 있어서 창문을 열면 프랜시스 버넷의 소설 『소공녀』에 나왔던 이웃집 원숭이가 지붕을 타고 넘어올 것 같은 느낌이었다. 어느 하나 낭만적이지 않은 것이 없었다.

여행 첫 코스는 집에서 멀지 않은 국립 피카소 미술관(Musée National Picasso-Paris)과 조르주 퐁피두 센터(Le Centre Pompidou)였다. 남편과 아이들이 선택한 일정은 여행 후반이었고 초반에는 주로 내가 정한 박물관과 미술관 위주의 여행이었다. 아침에 일어나자마자 보이는 이국적인 풍경들로 잔뜩 들뜬 아이들은 약 1킬로미터 정도 떨어진 피카소 미술관까지 신나게 걸어갔다. 관람을 마치고 근처에서 점심을 먹고 나서 스트라빈스키 분수와 광장 주위에서 산책하다 알록달록한 퐁피두 센터에 들어설 때까지도 여전히 시끌벅적했다. 그런데 센터 안으로 들어서자 어느새 아이들의 말수가 줄어들었다. 들여다보니 이미 걸음 수가 2만을 돌파하고 있었다. 남편이 말했다.

"다리 아픈데, 우리 좀 쉴까?"
"아까 분수 옆에서도 앉아 쉬었잖아. 이거 보고 집에 가는 길에 카르나 발레 박물관이랑 유대교 박물관도 가야 하니까 나가서 간식 먹으면서 쉬자."

그때 은이가 갑자기 끼어들며 소리쳤다.

"박물관을 또 간다고?"
"엄마가 전에 말했잖아."
"다 똑같은데 또 뭘 본다고! 나 춥고 다리 아파!"
"맞아. 아침 9시에 나와서 다섯 시간 넘게 걷기만 했잖아. 힘들어 죽겠어."

영이도 맞장구쳤다. 아이들이 불만을 터트리자 나도 짜증이

나 버럭 소리라도 지르고 싶었다. 난 안 힘든 줄 아냐? 그런데 이 거리에 여행 책자에서 꼭 가야 한다고 말한 박물관이 몇 개인지 아냐고!

화를 참고 있는 나를 보며 남편은 언제 터질지 모르는 진쟁의 위기 앞에서 아빠도 퐁피두는 처음이니까 여기만 보고 숙소로 돌아가자 했다. 당연히 아이들은 환호했고, 나는 씁쓸했다. 돌아가는 길에 슈퍼마켓과 과일 가게에서 장을 봤고, 골목에 있는 빵집에서 바게트도 샀다. 숙소에서는 각자 하고 싶은 걸 하며 쉬다가 저녁을 해 먹고 다시 산책하러 갔다. 그러는 사이 아이들은 기력을 되찾았는지 아침 일찍 신나게 집을 나서던 모습으로 돌아와 있었다.

가족회의를 통해 일정을 줄이기로 했다. 내가 아이들에게 보여주고 싶었던 곳이 대폭 줄어들었다. 욕심을 버리지 못한 채 계획이 모두 틀어져 속상해진 나에게 남편이 말했다.

"그냥, 쉬엄쉬엄 보자. 우리 첫 번째 파리 여행 생각해봐. 얼마나 힘들었어? 자기가 보여주고 싶은 거 못 봐도 여기에 좋은 추억이 있으면 애들은 언젠가 또 올 거야. 그런데 이곳이 실망스럽고 끔찍한 기억으로 남아 봐. 우리 가족 여행도 나쁜 기억으로 남을 거야. 그러면 나중에 우리랑 같이 여행하겠어?"

아이들은 비슷비슷한 미술관 대신 지하철을 타거나, 거리를 걷길 원했다. 도착한 순간부터 아이들이 좋아했던 것은 사람들이 지나다니는 평범한 파리 거리 즐기기와 시장보기였다. 길거리마다 부딪히는 담배 피는 사람들과 널린 담배꽁초마저도 파리답다고 여겼다. 노상 카페에 앉아서 여유를 즐기는 사람들처럼 잠시 쉬기를 원했다. 슈퍼마켓에 진열된 낯선 식료품들이 주는 이국적인 모습을 보고 신기해하기도 했다. 작은 시장에서 가판에 쌓인 과일을 고르는 것도 즐거워했다. 그랬다. 아이들은 멋진 예술품이 아니라 그냥 우리와는 다른 그들의 일상이 좋았다.

그제야 난 잠시 잊었던 실패한 파리 여행이 떠올랐다. 파리에서 볼 수 있는 건 무리해서라도 다 봐야 한다는 욕심이 어디서 왔는지 알 것 같았다. 여행 책자에서 '여기는 꼭 가야 한다'라며 소개하는 장소를 보면서 나도 거기 가봤다고 자랑하고 싶었던 건 아니었을까? 첫 파리 여행에서 내 기억에 남은 것은 무엇인지 다시 생각해보았다. 하나하나 그림을 곱씹어보며 머물렀던 미술관? 쉬지 않고 찾아다녔던 박물관? 어느 하나 마음속에 새겨진 것은 없었다. 내 기억 속에 남은 것은 비 오는 에펠탑 앞에서 남편과 함께 한 시간이었다. 그러나 그걸 잊고 또 욕심을 채우는 동안 아이들에게는 점점 웃음이 사라지고 있었다. 나는 욕심을 버리기로 했다. 이제야 진짜 '살아보는' 여행을 시작한 것이다.

이튿날 해 뜰 무렵, 창밖에 청소하는 차들이 보였다. 그 옆으로 이제 퇴근인지 출근인지 모를 사람들이 코트를 여미고 걷고 있었다. 갈래 길 중앙에 있는 키오스크 옆으로 신문 뭉치를 갖다 놓는 사람이 보였다. 등교 시간이 되니 아이들이 집 앞에 있는 학교로 모여들었다. 입구에서 학생을 맞이하는 선생님이 있었다. 우리 아이들 등교 모습과 별반 차이가 없었다. 창밖을 보면서 파리 아침을 느끼던 우리는 지도를 보면서 구역을 하나 정하고 그곳에서 할 수 있는 것을 하나씩만 해보기로 했다. 그게 박물관일 수도 있고 서점일 수도 있었다. 그리고 일찍 숙소로 돌아와 저녁 전까지는 좀 쉬고 다시 동네에서 산책하거나 시간을 보내기로 계획했다. 여행의 여유가 생기니 파리의 골목길이 보이기 시작했다. 골목에서 사람들이 무슨 일을 하는지도 관심이 생겼다. 지나가다 보이는 공원들의 모습이 언젠가 읽은 파리 그림책 속 공원의 모습과 똑 닮아있다는 것도 그제야 알았다. 우리는 슬슬 주변에 익숙해졌다. 매일 가는 빵집과 슈퍼마켓 직원들, 아침마다 비슷한 시간에 만나는 사람들에게 '봉쥬르' 인사할 여유도 생겼다. 여행은 여전히 '걷다, 쉬다'를 반복했다. 그러다가 우연히 들어간 성당에서 본 성화(聖畫)에 감동하여 눈물을 흘리기도 하고 이름 모를 악사들의 거리공연을 즐기기도 했다. 돌아오는 길에는 변함없이 슈퍼마켓에 들르고, 과일 가게와 빵집에 갔다. 프랑스 사람들처럼 설날에 갈레트를 먹었고, 걷다가 힘들면 길거리 카페에 앉아서 커피를 마셨다. 그렇게 파리 사람들처럼 살다가 돌아왔다. 나는 첫 여행에서 전혀 느끼지 못했던 낭만에 흠뻑 빠졌다. 아이들은 평범한 파리의 일상을 기억에 새겼다. 우리는 잠시나마 파리지앵(Parisienne)이었다.

누군가 파리에 가서 뭐 했느냐고 물을 때마다 나는 그냥 동네 길에서 걷다 왔다고 말했다. 그게 사실이니까. 우리는 파리에서 그냥 그들처럼, 그들 속에서 이웃으로 일주일을 살다 왔다. 이제 우리 가족에게 여행은 '그렇게 한 번 살아보는 거'다. 앞으로도 우리는 관광객이 아니라 잠깐이나마 여행지에서 그들의 이웃처럼 살아보기로 했다. 물론 관광지 미션 도장 깨기를 버리진 못하겠지만 그게 중요하지 않다는 것을 이제 안다.

앞으로도 누군가가 그게 무슨 여행이냐, 비싼 돈 들여 뭐 하는 거냐 물으면 나는, 골목에서만 볼 수 있는 작고 멋진 서점과 우연히 만난 오래된 식당에 대해 말해 줄 것이다. 아침마다 창문으로 들어오던 갓 구운 빵 냄새와 여행 책자에서는 말해주지 않는 일상의 여유를 알려 줄 것이다. 그리고 여행을 왜 하냐고 물어보는 그들에게 덧붙이겠다.

"진짜 여행은 가서 살아보는 거야. 여행을 떠나야 그 사람들처럼 거기서 살아볼 수 있으니까."

피크 엔드 법칙 새로 세우기

한박

자주 다투는 남매와 내가 모처럼 흐뭇한 기억을 공유할 때가 있는데 싱가포르 여행기를 풀어 놓을 때다. 아이들은 다른 사람들과 해외여행 경험을 나눌 때나 TV를 보다가 싱가포르 관광지가 나올 때면 아는 것을 들먹이며 서로 즐거워했다. 평소에 데면데면하다가도 이야기꽃이 피니 대체로 기분이 좋은데, 나는 그러다가도 곧잘 울고 싶은 기분에 사로잡혔다. 여행지에서 아이들을 굶기고 고생만 시켰다는 자책 때문이었다. 어쩔 수 없는 일이었다는 걸 알면서도 오랫동안 미련한 생각이 나를 사로잡았다. 패배감까지 들었다.

2017년에 네 명의 독서 모임 멤버들이 아이들 여섯을 데리고 여행을 가게 됐다. 해외여행이 처음은 아니었지만 아이들하고 자유여행을 떠나는 건 처음이었다. 완벽한 여행이 되기 위해 10개월을 준비했다. 용돈을 아껴 경비를 모았고, 하나부터 열까지 고민하고 예약하고 계산했다.

계약한 여행사가 따로 없다 보니 엄마들은 아이들을 위한 코스와 숙소, 교통편 등을 직접 알아봐야 했다. 외국에서의 자유여행이 미숙했던 나는 다른 사람들의 도움을 많이 받았다. 몰라서 준비 못 하는 것도 있지만 자신감이 없어서기도 했다. 국내를 벗어나서는 내가 할 수 있는 일이 많지 않았다. 안일한 생각도 있었다. 어차피 내가 준비하지 않아도 해외여행에 능통한 사람들이 따로 있었으니까. 대신 적극적인 호응과 관심을 보이며 독려하는 일을 맡았다. 그러면서도 국내에서 준비하는 모든 것들을 도맡았다. 아이들을 위한 부식류를 준비한다든가, 공항까지 가는 교통편이라든가.

5박 7일 일정의 우리 여행이 드디어 시작되었다. 한국은 겨울이었지만 싱가포르는 매우 더워서 겨울옷과 여름옷을 모두 가지고 다녀야 한다는 불편함이 있었다. 하지만 창이 공항에 도착하자마자 그런 불편함쯤은 일도 아니었다. 이국의 정취에 모두 들떴다. 가격이 너무 세서 큰맘 먹고 잡은 숙소는 랜드마크로의 위용을 자랑하며 가장 잘 보이는 곳에 우뚝 서 있었다. 귀부인이나 된 것처럼 두 아이를 양옆에 거느리고 입구에 들어섰다. 너무 흥분하지 않으려고 애썼던 것도 같다. 여행은 꿈처럼 도착했고 설렘은 한도초과였다.

그러나 넷째 날쯤 되자 모두 지쳤다. 날은 더웠고, 나름대로 계획한 일정을 소화하느라 너무 힘들었다. 철부지 어린아이들을 데리고 오래 걸어야 했다. 나처럼 아이가 둘인 집은 뒤로 처지기 마련이었다. 한 명만 화장실에 가고 싶어도 모두 기다려줘야 했다. 그게 내 아이만일 때는 사과해야 하기도 했다. 인사치레의 피로도는 엄청났다. 어떤 아이는 더위에 약해서 편의점만 보이면 차가운 것을 사 먹고 싶어 했다. 혼자 먹을 수 없으니 여섯 명의 아이에게 일일이 의사를 물었다. 큰 아이들은 대놓고 짜증을 냈고 엄마들은 피곤을 내색하지 않으려 애썼다.

결국 우리는 몇 개의 일정을 취소했다. 아이들에게 더 근사한 곳을 보여주고 싶었던 우리의 마음보다 수영장을 갈망하는 아이들의 마음이 더 크게 작용했다. 실제로 아이들은 내내 수영하길 원했다. 아이스크림이나 빙수는 그때뿐이었다. 시원하고 깨끗한 호텔 풀은 아이들에게 천국이었다. 애초에 아이들을 데리고 오겠다고 결심했을 때 아이를 고생시키려고 마음먹는 엄마는 없을 것이다. 물론, 형편에 비해 비싼 여행 경비를 고려했을 때 더 많은 것을 보는 게 중요할 테지만 기어코 아이들과 싸우면서까지 그 경로를 고수할 필요는 없었다. 우리는 호텔로 일찍 향했다. 아니, 수영장으로 향했다.

아이들은 쾌재를 불렀다. 땀이 줄줄 흐르던 새카만 여섯 명의 아이가 동시에 '예-'를 외치자 우리도 웃음이 탁 터졌다. 진즉에 수영만으로 종일 보내고 싶었지만 엄마들 열정에 못 이겨 따라 나섰던 모양이었다.

숙소로 돌아가 아이들을 수영장에 보내 놓고 엄마 넷이 한 방에 모였다. 저녁을 어떻게 할 것인가 의논했다. 먹을 것을 사오기로 합의를 봤지만 아이들만 외국의 숙소에 남겨둘 수가 없었으므로 수영을 좋아하는 S가 남아서 아이들을 돌보고 세 명이 나가기로 했다.

동남아의 길은 낯설었다. 꽤 시간을 들여서야 로컬 시장을 찾을 수 있었다. 아이들이 먹을 것을 골랐다. 나는 돈가스와 카레를 샀다. 내 아이들은 사실 새로운 음식은 전혀 먹지 않았다. 해산물이나 채소는 거의 입에 대지도 않았다. 쌀국수도 싫어했다. 아이들이 몇 끼째 한국에서 가져온 컵라면이나 김, 참치캔으로 대충 식사하고 있는 것에 나도 모르게 스트레스를 받는 상황이었다. 그래도 돈가스와 카레는 먹으니까 즉석밥이랑 같이 먹이면 되겠다 싶었다. 같이 먹을 음료수와 과자 등을 사서 숙소로 돌아왔다.

오다 보니 우리가 꽤 멀리 왔구나 생각했다. 벌써 석양이 물들길래 마음이 급해졌다. 적도의 노을을 감상할 시간도 없이 재촉해서 돌아왔다. 아이들은 여전히 수영장에서 신나게 놀고 있었다.

아들을 욕실에 들여보내고 딸은 앉아서 기다리도록 호텔 방 구석에 커다란 수건을 깔아주었다. 나오면 먹을 수 있도록 전기포트를 이용해 즉석밥을 데워야 했는데 포트의 크기가 작아 하나씩 데워야 했다. 욕실에서 나오자마자 배가 고프다고 법석을 떠는 아들에게 데운 밥을 얼른 열어 주면서 돈가스랑 먹으라고 설명했다. 허기진 채 떨고 있는 딸을 위해 서둘러 즉석밥을 커피포트에 넣고 전원 버튼을 눌렀다. 밥을 먹여서 씻길 걸 그랬다며 한참을 후회했다. 딸을 씻기는 중 밖에 있던 아들이 더 먹고 싶다고 소리쳤다. 아들의 "더 먹고 싶다"는 '돈가스를 더 달라'는 말이었다. 하지만 돈가스는 없었다. 넉넉히 산 것 같았는데 모자랐다. 아들은 카레를 보며 먹으면 안 되는지 물었다. 그러면 딸애가 먹을 게 없어서 망설였다. 수영하고 온 먹보 4학년의 밥양을 가늠하지 못한 내 잘못이었다.

내가 난감해하자 1학년 딸이 내 손을 꼭 잡으면서 "엄마, 오빠 더 먹으라고 해"라고 했다. 얼른 마무리하고 나와선 밥을 뜯었다. 카레가 좀 식었지만, 밥이 따뜻하니 괜찮을 것이었다. 그러나 왜인지 밥이 제대로 데워지지 않았다. 가장자리는 갓 지은 밥처럼 보슬보슬했는데 가운데 부분은 수저도 안 들어갈 정도로 딱딱했다. 씻는 동안 식은 건지, 처음부터 안 데워졌는지는 몰라도 낭패였다. 전자레인지가 있으면 관계없지만 뚜껑이 열린 밥을 다시 물에 넣을 수는 없는 노릇이었다. 가지고 있는 즉석밥은 그게 마지막이었다. 이대로는 안 될 것 같았다. 제대로 밥이 된 부분만 긁어내 아들에게 내밀고 딸에게 조금만 기다려달라고 말했다. 눈물이 쏟아질 것 같았다. 딸은 조용히 고개를 끄덕였지만 얼마나 배가 고플지 내가 더 잘 알았다. 점심에 쌀국수도 못 먹은 데다가 중간에 아이스크림 두 번 사 먹은 게 다였고, 이제 밥 좀 먹어보나 했는데 이런 일이 벌어진 것이다. 얼마나 속이 상하는지 맛있다를 연발하며 먹고 있는 아들이 괜히 미웠다. 마음 같아서는 얼른 나가서 뭐라도 사 오고 싶었다. 그렇지만 나는 호텔에서 혼자 나갈 수가 없었다. 길도 몰랐고 해외 로밍되는 전화기도 없었다. 다녀오는 시간 동안 어린아이가 쫄쫄 굶고 있는 것도 싫었다. 무엇보다 용기가 없었다. 영어 능통자가 아닌 내가 낯선 동네를 홀로 외출한다는 공포가 딸에게 괜찮은 음식을 먹여야 한다는 의무감을 누르고야 말았다. 다들 피곤해하고 있으며 씻기고 밥 먹이느라 바쁠 텐데 누구에게 같이 가자고 한단 말인가. 남에게 피해를 주고 싶지 않았다. 앓는 소리 하는 것도 싫었다.

어쩔 수 없이 또 컵라면에 물을 부었다. 컵라면 국물에라도 말아서 먹이는 수밖에 없었다. 며칠째 더운 날을 견디며 하루 종일 짜증 한 번 안 내고 따라다닌 어린 딸의 얼굴이 오늘따라 핼쑥해서 눈물이 왈칵 났다. 호텔 방바닥에 쭈그리고 앉아 데워지지도 않은 햇반에 라면 국물을 말아서 먹어야 하는 딸이 안쓰러우면서 무엇을 위하여 여기까지 와서 아이들을 이토록 고생시키는가 생각하며 짜증도 치밀었다. 혼자서 해결할 용기도 없으면서 무슨 엄마라고 나를 따르라, 외쳤을까 생각하니 한심했다. 기어이 현관 구석으로 가서 눈물을 쏟았다. 서러움이 걷히지 않아 어깨가 들썩거렸다. 이 장면은 오래도록 나에게 죄책감으로 남았다. 그로부터 6년이라는 시간이 흘렀는데도 말이다.

나는 오랫동안 그 감정에서 벗어나지 못했다. 죄책감이 자책의 물살을 타고 거세게 떠밀려 내려왔다. 남들처럼 잘 먹고 돌아오지 못한 것에 대한 회한 같은 것도 묻어 있었다. 좀 더 용기 내서 문제 상황을 타파해 보지 못했다는 한심함, 무력감, 그에 준하는 미안함까지. 카레 사건 이후 조식과 중식, 석식까지도 제대로 못 먹고 귀국 비행기에 올랐기 때문에 더 그랬다. 애들을 굶기려고 간 해외여행이냐며 나를 비난했다. 그러다가 지난 주말, 텔레비전에서 싱가포르가 나왔다. 딸은 반가운지 '나 저기 가 봤는데'를 연발했다. 같이 안 간 아빠는 저런 곳도 갔느냐고 호응했다. 갑자기 나는 옛날 생각이 났다. 그때 네가 얼마나 착하게 잘 따라다녔는지, 엄마가 얼마나 속상했는지 이야기했다. 그때 딸이 말했다.

"싱가포르에서 먹은 피자 진짜 맛있었는데!"

뭐? 하고 쳐다보았다. 무슨 피자를 말하는 걸까? 나는 피자를 먹은 기억이 전혀 나질 않았다. 당시 아이들은 한국에서 먹던 것과 전혀 다른, 고수가 듬뿍 든 쌀국수를 전혀 먹지 못했고 큰마음 먹고 시킨 고가의 칠리크랩 역시 쳐다보지도 않았다. 일부러 돈을 들여 조식을 신청했는데 아이들이 먹은 것은 프렌치토스트 한 개와 포도 몇 알이 전부. 등갈비를 푹 고아 끓였다는 유명한 고기 수프도 제대로 못 먹었고 그나마 먹어보려고 했던 현지식 카레마저 오빠가 다 먹고 말았다. 나는 그런 것들만 생각했다. 하지만 딸의 기억은 아니었다.

피자가 맛있었다는 딸을 물끄러미 쳐다봤다. 이후로 계속 나오는 여행지 소개에 '나 저기 아는데, 되게 재밌었는데' 외치는 딸에게 못 먹어 고생한 기억은 전혀 남아 있지 않았다. 오히려 친구들이 해외여행 다녀온 이야기를 하면 자기도 싱가포르 이야기를 할 수 있어서 좋다고만 했다. 봤던 모든 것, 수영장, 호텔 모두 좋기만 했다고. 나의 오랜 절망과 자책은 도무지 불필요한 기억이었다. 이게 어떻게 된 일일까?

심리학에는 '피크 엔드 법칙(peak-end rule)'이라는 용어가 있다. 사람의 경험에 관한 기억은 가장 강렬한 순간과 마지막 순간의 평균값이란 뜻이란다. 나의 피크 엔드와 아이들의 피크 엔드는 달랐다. 딸은 가장 맛있게 먹은 음식을 기억하며 여행을 끝맺었고, 아들은 넓고 아름다워서 내내 자유로웠던 수영장을 추억하며 산다. 그러다가 문득 작고 뜨거웠던 도시의 며칠이 생각나면 느닷없이 찾아와 그때 이야기를 꺼낸다. 그럴 때면 평소에 데면데면했던 모자 사이에서 벗어나 순식간에 추억을 공유하는 친구가 된다. 잠깐이라도 설레고 따뜻하다. 왜 나는 몰랐지, 좋았던 기억이 더 많았다는 걸.

세상일은 흠집 하나 없이 성공하기 어렵다. 아직 어렸던 아이들과 해외에 나가 무려 자유여행을 즐기고 건강하게 돌아온 것만으로도 스스로 칭찬할 만했다. 아들도 딸도 나름대로 즐거운 한때가 있었다. 유독 나만 몇 끼니의 부실한 식사에 사로잡혀 장장 6년의 세월을 자책으로 얼룩지게 하고 있었다. 그러나 딸의 그 한마디는 서러운 초보 엄마의 마음을 충분히 위로했다.

나도 ‘피크 엔드’를 바꾸기로 한다. 5박 7일의 그 여행은 어떤 것에도 견줄 수 없을 만큼 소중한 우리만의 경험이다. 이제는 자책의 늪에서 벗어나 소중한 시간에만 영원히 머물 수 있게 됐다. 아이들이 먼저 가진 여행 평균값을 어쩌면 나도 회복할 수 있을 것 같다. 그만큼 피자 피셜은 강력했다. 기억에 없는 딸의 ‘피크’ 피자는 내 ‘엔드’를 확실히 뒤집었다. 예나 지금이나 고마운 딸이다.

“엄마, 피자 진짜 맛있었다니까!”

DON'T
WORRY

걱정 많은 여자가 다정한 남자를 만나면

글짓는앤

서울 여행 재미있게 다녀오고 많은 추억들 남겨 와요. 이동할 때랑 아이들하고 떨어지지 않게 하고, 영이한테는 주의사항 얘기했는데 민이는 말 못 했어. 민이한테 주의사항 얘기해 주고 애들 사고 싶은 선물도 고르게 해 줘요. 냉동실에 미니 핫브레이크 사다 놓았으니까 좀 챙겨가고요. 애들 지치고 피곤해하면 하나씩 줘요. 색시랑 애들은 사진 많이 찍으니까 보조 배터리 꼭 챙겨가고. 핸드폰 전원 꺼지게 하지 말고 중간 중간 여유 있게 충전해 놔요. 비 많이 오니까 특별히 더 조심하고 버스 타고 내리면 연락해줘요. 사랑해요.

식탁 위에 놓인 다섯 장의 포스트잇은 걱정과 당부와 사랑이 담긴 메시지로 가득했다. 겉으로는 무뚝뚝해 보이지만 조용히 누군가를 챙겨주는 신랑의 세심함이 느껴졌다. 심쿵! 위아래로 심장이 마구 요동치는 것 같았다. 내가 너인 듯 네가 나인 듯 사랑보다는 정으로 하루하루 부대끼며 살다 보니 이런 설렘을 느껴본 지가 언제인지 기억조차 나지 않는다. 연애할 때나 느껴봤을 법한 기분 좋은 콩닥거림이다. 한참 동안 식탁 의자에 앉아 신랑의 메모를 읽으며 피식피식 웃었다.

'근데 내가 무슨 물가에 내놓은 어린애도 아니고. 뭘 그렇게 걱정이 많으신지. 그래도 뭐 이렇게 마음 써주니 기분은 좋네.'

야간 근무하고 새벽 5시에 퇴근해서 쓰러져 자기에도 바빴을 텐데 언제 초코바도 사 오고 메시지까지 써 놓은 건지 마음 씀씀이가 참 예쁘다. 오늘은 어쩐지 침대에 널브러져 드르렁드르렁 코를 고는 모습마저 귀여워 보인다. 지금 순간만큼은 겨울잠 자는 덩치 큰 곰처럼 보이지도 않는다.

'여러분! 이렇게 다정한 사람이 바로 내 남편이에요.'

누구라도 붙잡고 자랑하고 싶었다. 신랑이 쓴 메모와 초코바를 식탁 위에 올려놓고 예쁘게 사진까지 찍어 SNS에 올렸다.

'이렇게 늘 말없이 다정하고 세심한 사람. 고맙고 감사해요'라는 글과 함께 빨간 하트까지 종류별로 눌러놓았다. '넘 멋져요', '따뜻한 아빠의 마음', '진짜 달달하네요', '넘 멋진 거 아냐?' 줄줄이 달린 댓글을 확인하며 씩 웃었다. 답글을 달고 '좋아요'를 누르고 있는 내 모습이 어쩐지 좀 우습기도 했지만 그렇게라도 신랑에게 받은 감동을 동네방네 자랑하고 싶었다. 그렇게 혼자 좋아죽는 사이 밤잠을 설치게 한 걱정과 불안도 행복한 마음 뒤로 꼭꼭 숨어버렸다.

사실 그림책 전시회를 보러 서울에 가기 전까지 수많은 걱정으로 가득했다. 매일같이 쏟아지는 세찬 비와 수시로 날아오는 재난 문자는 불안감을 더욱 가중시켰다.

'서울 가는 날에도 비가 엄청 쏟아지면 어떡하지? 혹시라도 버스를 놓치거나 지하철을 잘못 타면? 첫째는 더 놀다 가고 싶다 하고 둘째는 금세 지쳐서 집에 빨리 가자고 재촉하면?'

걱정은 꼬리에 꼬리를 물고 이어졌다. 평소에 불안도가 높은 나는 그날도 쓸데없는 걱정들을 하고 있었다. 서울은 수도 없이 가보았지만, 신랑 없이 아이 둘을 데리고 대중교통을 이용해 가기는 이번이 처음이었다. 공간지각능력이 현저히 떨어지는 길치에다 예기치 못한 상황에 맞닥뜨리면 머릿속이 하얗게 되어버리는 나는 온갖 걱정 속에서 일주일을 보냈다.

"아니, 서울 가는 게 뭐 큰일이라고? 집에서 버스터미널도 가깝고 버스 타고 내리면 바로 서울인데. 지하철은 노선 따라 타기만 하면 되는데 대체 뭔 걱정이야?"

주변 사람들은 별걱정을 다한다며 대수롭지 않게 말했지만 내게는 애들 데리고 서울 가는 길이 어려운 숙제처럼 느껴졌다.

전날 밤, 밀려오는 걱정들을 끌어안고 잠자리에 들었지만 쉽게 잠들지 못했다. 새벽이 되어서야 겨우 잠이 들었다. 아무리 기다려도 버스는 오지 않고 비를 철철 맞으며 집으로 다시 돌아오는, 현실이라면 너무도 끔찍했을 조각난 꿈을 꾸면서 잠에서 깼다. 몽롱한 정신으로 핸드폰을 켜고 전시회 티켓과 버스 시간표, 동선까지 확인했지만 불안은 좀처럼 가시지 않았다. 다시 또 일어나 거실을 서성이다 식탁 위에 놓인 포스트잇과 초코바 한 봉지를 발견한 것이다. 그래서 신랑 덕분에 걱정 대신 설레는 마음을 안고 아이들과 서울로 향할 수 있었다.

하지만 서울에 도착하자마자 첫 번째 난관에 부딪혔다. 민이가 급하게 내리는 바람에 버스에 가방을 놓고 내린 것이다. 순간

나는 어떻게 할 줄 몰라 고장 난 로봇처럼 가만히 서 있었다. 이미 버스는 떠난 뒤였다. 신랑이라면 버스에서 내리기 전에 혹시 빠뜨린 거 없는지 살펴보라고 얘기하고 본인이 한 번 더 확인한 뒤 내렸을 것이다. 나는 살펴볼 겨를도 없이 얼른 내리는 데 급급했다. 가방을 놓고 내린 둘째는 속상해서 금방이라도 울 것 같은 표정을 하고 있지, 비는 마구 쏟아지지, 버스 회사는 계속 전화해도 안 받지, 엉엉 울고 싶은 심정이었다. 우산을 쓰고 전시회장으로 이동해야 하는 상황이라 버스 회사에 계속 전화만 하고 있을 수는 없었다. 일하는 사람 괜히 또 신경 쓰게 하는 건 아닌지 고민하다 결국 남편에게 전화했다. 버스 회사에는 내가 계속 전화해 볼 테니 우선 너는 애들 챙기고 전시회 잘 보고 오라는 말을 듣고 나서야 진정이 됐다. 한창 바쁜 시간에 걸려 온 전화라 경황이 없었을 텐데도 짜증 한 번 내지 않고 나를 먼저 안심시키고 문제를 해결해줘서 고마웠다. 다정한 남편 덕분에 무사히 한고비를 넘겼으니 남은 여정을 즐겁게 보낼 수 있을 것이라 여겼지만 안심하기에는 아직 일렀다.

나는 코엑스에서 또 다른 난관에 봉착했다. 길을 잃어버린 것이다. 길치인 내가 우려했던 일이 발생했다. 여기는 어디? 나는 누구? 이놈의 길은 뭐가 이렇게도 복잡한지. 칼국수랑 만두가 먹고 싶다는 아이들을 위해 지도 앱을 켜고 찾아가 보았지만 엉뚱한 가게들만 자꾸 나왔다. 안내 지도를 보고 지나가는 사람들에게 물어보기도 했지만 찾기는 쉽지 않았다. 배고픔을 참기 힘들어하는 둘째는 30분 넘게 걸어 다니자 슬슬 짜증을 내기 시작했다. 칼국수는 나중에 먹고 가까운 음식점에 들어가자고 하니 거기는 또 싫단다. 아, 정말 미쳐버리겠네!

짜증이 폭발하려던 찰나 신랑이 챙겨준 초코바가 생각났다. 음료수 하나 사서 초코바 몇 개 물려주니 둘째의 마음은 좀 가라앉았다. 그리고는 초코바 먹어서 괜찮아졌으니 다시 천천히 칼국수 집을 찾아보자고 했다. 달달한 초코바가 모녀의 분란을 잠재웠다.

고마움은 또 바로 표현해 줘야 하는 법이다. 잠시 쉬고 있는 사이 문자를 보냈다.

- 신랑! 초코바 진짜 잘 먹었어. 초코바 없었으면 우리 민이 코엑스에서 지쳐 쓰러질 뻔. 정말 정말 고맙고 사랑해♡♡

- 다행이네. 코엑스 복잡하니까 길 잘 찾아다니고 즐거운 시간 보내고 와.

역시 남편의 답장을 보고 나니 비로소 마음의 평안이 찾아왔다. 남편이 가득 채워놓은 보조 배터리가 있어 배터리 걱정 없이 사진도 실컷 찍고 두 딸은 아빠가 준 용돈으로(어제 저녁에 서울 가면 사고 싶은 거 사라고 엄마 몰래 아빠가 줬단다) 예쁜 인형도 사고 그야말로 신랑의 다정함이 빛을 발하던 하루였다.

어릴 적 넘어져서 무릎이 까지거나 어딘가에 베일 때면 엄마는 적갈색 병에 담긴 포비돈, 흔히 부르는 빨간 약을 발라주고 그 위에 대일밴드를 붙여 주었다. 사실 그렇게 한다고 통증이 금방 사라지는 것도 상처가 바로 아무는 것도 아니다. 모름지기 상처가 아무는 데에는 기다림의 시간이 필요한 법이다. 빨간 약과 밴드보다는 "어이구 우리 강아지 많이 아팠겠네. 엄마가 호~ 해줄게" 라는 엄마의 다정한 말과 약을 발라주는 행위 그 자체가 상처의 아픔을 덜어준 것이다.

남편이 그날 아침 써놓은 메시지와 초코바가 내게는 상처를 치료해 준 빨간 약과 같았다. 낯선 여정 속에서 걱정, 그 녀석이 불쑥불쑥 튀어나오려고 할 때마다 마음이 담긴 포스트잇을 빨간 부적처럼 하나씩 내 머릿속 어딘가에 붙여 놓았다. 남편의 메시지는 서울에서 낯선 상황에 놓일 때마다 마음의 안정을 찾아주는 효력을 발휘했다.

덜렁대고 유독 걱정이 많은 나에게 남편은 위기의 순간마다 문제를 해결해 주는 해결사 혹은 슈퍼맨이었다. 또 어떤 날은 자신만의 다정함으로 불안을 잠재워주는 치유사가 돼주기도 했다. 낯선 곳에 대한 두려움으로 쉽게 발을 떼지 못했던 나는 다정한 사람 덕분에 '서울 뭐 그까짓 거 별거 아니네. 다음에는 더 잘 찾아갈 수 있어' 하고 다시 또 어딘가로 향할 수 있는 용기를 낼 수 있게 되었다.

그런데 평생 한 여자의 부족함을 채워주고 그 많은 걱정거리를 덜어주기 위해 고군분투하게 될 이 남자의 삶은 좀 고달플 수도 있겠다. 그래도 어쩌랴? 남편은 내 색신데 내가 보듬어주고 잘 데리고 살아야지, 라고 말하는데. 이렇게 허술한 나라도 좋다는데 검은 머리가 파뿌리 될 때까지 같이 살아야지, 뭐.

베네치아에서 에스프레소 한잔을

해야

'산다는 것은 수많은 처음을 만들어가는 끊임없는 시작'이라는 시인의 말처럼 새로운 곳을 찾아가는 여행은 언제나 놀라운 처음을 선사한다. 오월의 어느 햇살 좋은 날, 베네치아 본섬으로 들어가는 배 위에서 나는 눈 앞에 펼쳐지는 풍경에 압도당한 채 벌어진 입을 다물 수 없었다. 바닷속에서 불쑥 솟은 듯 웅장하고 화려한 고딕 양식의 건물들이 대운하를 따라 양옆으로 펼쳐지는 광경은 마치 무도복을 차려입은 신사 숙녀들이 매끈한 발목은 물속에 담근 채 우아하게 손 흔드는 모습처럼 낯설고 아름다운 환대였다.

우리 가족을 태운 배가 선착장에 도착하자 현지 가이드가 기다리고 있었다 '유럽의 응접실'이라 불리는 산마르코 광장으로 이동하는 동안 입담 좋은 그는 베네치아의 역사와 문화를 소개해 주었다. 5세기경 고트족과 훈족 등 이민족의 침략을 피해 습지대인 이곳으로 이주해 온 난민들에 의해 개척된 도시. 그들은 살기 위해 갯벌 아래 단단한 층까지 통나무 말뚝을 박고 그 위에 석판을 깔아 건물을 세웠다. 엄청난 끈기와 눈물, 시련으로 개척한 도시가 아닐 수 없다. 이후 베네치아는 무역을 통해 지중해를 주름잡는 해상 공화국으로 성장하며 화려한 문화와 그에 맞는 웅장하고 아름다운 건축물을 세우며 매혹적인 물의 도시로 거듭났다. 베네치아의 이야기는 들을수록 놀랍고 흥미로웠다.

가이드의 설명을 들으며 산마르코 광장으로 가는 길, 건물과 건물을 이어주는 작은 다리와 그 아래 관광객을 태우고 유유히 지나다니는 곤돌라의 모습이 낭만적이었다. 하지만 하얀 다리의 이름이 '탄식의 다리'라는 것을 알고 나니 낭만은 사라졌다. 그 옛날 두칼레궁에서 재판받고 수감 되기 위해 지나야 했던 다리, 죄수는 좁은 창으로 아름다운 베네치아의 풍경을 마지막으로 보며 비탄에 젖을 수밖에 없었으리라. 멋져 보이는 겉모습과 속사정은 다를 수 있음을 생각하며 조금 더 걸어 나가자 목적지인 광장에 도착했다.

산마르코 광장은 공간 자체가 잘 빚어진 예술품 같았다. 마치 출입문처럼 세워진 두 개의 기둥에는 복음사가(福音史家) 마르코를 상징하는 날개 있는 사자상과 성 테오도로의 동상이 있고 기둥 안으로 들어서면 정면에 오백 년이 넘는 세월 동안 시간을 알려주고 있는 시계탑(토레 델 오롤로지오)이 보였다. 시계탑 옆으로는 산마르코 대성당과 두칼레 궁전이, 그 반대편엔 높이 98.6 미터의 종탑과 길게 이어진 고풍스러운 건물이 도열해 있어 운치를 더했다. 역사가 살아 숨 쉬는 공간을 걷고 있으니 내가 마치 시간 여행자가 된 듯했다. 아쉬운 것은 궁전, 성당, 종탑 모두 내부 입장이 가능한데 우리는 패키지여행으로 시간이 부족해 내부 관람을 할 수 없다는 것이었다. 벽과 천장을 황금 모자이크로 장식했다는 산마르코 대성당의 내부가 얼마나 화려하고 기품 있을까 상상만으로 만족하고 우리는 곤돌라를 타러 선착장으로 갔다.

곤돌라는 118개의 섬과 117개 다리 사이를 누비며 사람과 생활 물자를 실어 나르는 이곳의 교통수단인데 지금은 주로 관광용으로 쓰인다. 우리는 검은색 곤돌라를 타고 마을로 들어갔다. 건물들 사이사이 관광객들이 오가는 다리 밑 좁은 수로를 곤돌라는 나름의 질서로 움직였다. 고풍스러운 다리에 서서 우리를 향해 손을 흔드는 사람들, 노상 카페에서 커피 마시다 눈이 마주치면 웃어주는 사람들로 이곳에선 누구 할 것 없이 모두가 풍경의 일부가 되었다.

곤돌라에서 내리자 한 시간 정도 자유시간이 주어졌다. 아이들은 빽빽하게 들어찬 골목 상점에 어떤 물건들이 있는지 궁금하다며 발걸음을 재촉했다. 화려한 유리 장식품 가게와 맛있어 보이는 초콜릿이나 사탕 가게가 아이들을 유혹했다. 다양한 가면으로 벽면과 천장을 빈틈없이 메운 가게는 그로테스크한 분위기를 풍기며 이곳이 가면 축제의 명소임을 실감 나게 했다. 아이들은 무도회 가면 자석과 유리 팔찌, 사탕을 사고는 베네치아 최고의 젤라토를 찾아야 한다며 가게 서칭에 열을 올렸다. 남편은 나에게 카페를 검색해 보라고 했다. 찾고 말고 할 것도 없이 가야 할 카페는 정해져 있었다. 베네치아의 꽃다방이라 불리는 유럽 최초의 카페 플로리안.

"플로리안 카페 가야지? 가이드가 괴테. 바그너, 카사노바 등 유명인과 예술가들이 즐겨 찾은 카페라고 추천했잖아. 세계에서 가장 오래되고 유명한 카페라고도 했고."

"뭐? 가이드 말을 좀 제대로 들어. 거긴 유럽에서 커피값이 제일 비싸니 주변에 가성비 좋은 카페를 찾아 커피 마시면 된다고 했잖아."

"나도 제대로 들었거든! 그런데 플로리안에서 마시는 커피 한 잔은 문화와 역사, 추억을 마시는 거라고. 그만큼 가치 있는 일이니 꼭 들러보라고도 했잖아."

"안 돼. 곤란해. 곤돌라 체험비에 수상택시도 타야 하는데 선택 관광에 여행비가 많이 들었단 말이야. 할 수 있는 체험은 하는 게 맞지만, 2만 원 가까이하는 커피를 꼭 마셔야 해? 에스프레소 맛은 다 비슷하잖아."

"그건 그렇지만……."

곤돌라 탑승에다 계획에 없던 수상택시까지 더해지면서 비용이 부담스러워 저러나 생각되기도 하고 같은 말을 들어도 다르게 받아들이는 상황이 씁쓸했다. 사실 시간도 부족했다. 아이들은 커피로 설왕설래 중인 엄마. 아빠를 이해할 수 없다는 얼굴로 보고 있었다.

"일단 아이들이 정해 놓은 곳이 있다니 거기부터 가자."

우리는 구글맵을 보며 '수소 젤라토'라는 가게를 찾아갔다. 그곳은 웨이팅이 길었다. 아이들은 줄을 서서 원하는 젤라토를 사고 나는 가게 안을 구경했다. 스무 가지가 넘는 다양한 젤라토들이 먹음직스럽게 보였고 콘에 담아주는 모양도 예뻤다. 남편과 아이들은 만족해하며 운하를 배경으로 다리 위에서 젤라토

사진을 찍었다. 사진은 예쁘게 찍혔는데 그 맛은 심하게 달았다. 한낮 베네치아의 골목은 뜨겁고, 젤라토는 녹아내려 끈적였다. 남편은 기대에 미치지 못한 젤라토 맛에 실망하며 내 눈치를 봤다. 나에게 젤라토 대신 플로리안 커피를 사줬어야 했나 난감해 하는 표정이었다. 그 마음이 읽혀서 조금 전 섭섭함이 다 풀렸다. 관계에서 제일 중요한 것은 진심이다. 그가 나를 아끼고 있다는 진심만 전달되어도 우리는 이 상황을 유쾌하게 넘길 수 있다. 나는 그의 카라멜 맛 젤라토를 한 입 크게 베어 물었다.

"그래, 베네치아는 쓴 커피가 아니라 달고 단 기억으로 남겨야지. 겁나 달아요! 베네치아, 아주 달달 하네요"라고 장난스레 말하며 남편을 쫓아다녔다.

일행과 만나기로 약속한 산마르코 광장으로 돌아오자 시간이 조금 남았다. 남편은 혼자라도 얼른 플로리안에 가서 커피 마시고 오겠냐고 물었다. 혼자 마셔야 할 이유는 내게 없었다. 나는 괜찮다며 남편을 보고 웃었다. 에스프레소의 기억보다 더 오래 놀려먹을 달달한 베네치아의 기억을 얻었으니까. 그리고 남편과 이곳으로 다시 올 이유도 남겨야 하니까.

돌아가는 길은 'S'자 모양 대운하를 가로지르는 수상택시를 이용했고 가이드가 동행했다. 이어폰으로 설명을 들으며 천천히 베네치아의 멋진 풍광을 다시 한번 눈과 마음에 담았다. 우리가 걸었던 산마르코 광장의 높은 종탑, 둥근 회색 지붕의 화려한 자태를 뽐내는 산타 마리아 델라 살루테 성당, 화려한 호텔과 저택들. 리알토 다리, 쪽빛 대운하의 물살을 가르며 오가는 수상버스와 택시들. 웃으며 손을 흔드는 사람들. 자연과 인공이 마치 한 몸인 듯 조화를 이루는 모습을 보니 누군가 '베네치아는 신과 인간의 합작품'이라고 했던 말이 떠오른다. 바다를 육지로 메우고 이토록 아름답고 정교한 도시를 천 년이 넘는 세월 동안 짓고 유지하고 지켜낼 수 있었던 힘은 무엇일까? 나 혼자 잘 살자고 할 수 있는 노동과 노력이 아니다. 지키고 싶은 사랑하는 사람들이 있었기에 가능했을 것이다. 지켜주고 싶은 소중한 마음들이 모여 기적과도 같은 도시를 세웠을 것이다. 그 열정과 노력에 신은 은총을 더했으리라. 가족들의 얼굴을 보니 불어오는 바닷바람에 머리칼을 날리며 환하게 웃고 있다. 마침 가이드가 이태리 가곡을 부르기 시작했다.

오 맑은 태양 너 참 아름답다 폭풍우 지나고 너 더욱 찬란해
시원한 바람 솔솔 불어올 때 하늘에 밝은 해는 비치인다
나의 몸에는 사랑스런 오 나의 태양 비치인다
나의 나의 태양 찬란하게 비치인다

가이드가 이별의 선물로 불러준 '오 솔레미오'는 절정에서 기가 막힌 삑사리를 내며 우리에게 큰 웃음을 안겨 주었다. 아이들은 환상적인 베네치아와 유쾌했던 이 시간을 오래 기억할 거라고 말했다.

베네치아 여행은 이렇게 막을 내렸지만, 나는 언젠가 다시 산마르코 광장을 함께 걷고 종탑에 올라 노을이 깔린 베네치아의 풍경을 감상하며 카페 플로리안에서 진한 에스프레소 한 잔 마시는 우리의 모습을 그려본다. 그때는 지중해의 빛나는 바다 한 번, 다정한 이의 얼굴 두 번 바라보며 여유롭게 커피 마셔야지. 나에게 수많은 처음을 선물해 주는 남편과 아이들이 곁에 있어 오늘도 나는 좋은 꿈을 꾼다.

La Mairie d'Auvers

별이 빛나는 밤에

골방지기

우리는 파리 근교 여행을 계획하면서 가장 편하고 효율적인 방법을 찾았다. 한국인이 운영하는 파리 근교 투어 프로그램을 이용하는 것이었다. 가이드 자격증을 가진, 미술사를 공부하는 유학생이나 현지 주민들이 안내한다고 해서 더 믿음이 갔다.

파리 근교 투어는 대부분 오베르 마을(Auvers-sur-Oise)과 베르사유 궁전(Château de Versailles)을 묶어서 구성돼 있었다. 거기에다 여름엔 모네의 그림 <수련>의 배경인 지베르니(Giverny) 정원, 겨울에는 샹티 성(Château de Chantilly) 같은 고성(古城) 방문일정이 추가된다. 우리 일정은 1월 말이라 오베르 마을, 베르사유 궁전, 샹티 성을 관람하는 것으로 확정되었다.

투어 당일, 해가 뜨기도 전에 개선문 앞에서 함께 여행할 일행을 만났다. 우리처럼 가족 위주의 여행객들이 대부분이었다. 일찍부터 나와 기다리고 있던 가이드는 물감이 군데군데 묻어있는 낡은 코트를 걸치고 있었고 파리 대학에서 미술을 전공한 화가 랬다. 그의 안내로 우리는 편안한 대형 버스를 타고 첫 번째 코스인 베르사유 궁전으로 출발했다.

베르사유 궁전은 태양왕 루이 14세의 상징과도 같은 곳이다. 성의 외관은 입구부터 황금색으로 빛나고 있었다. 그러나 광활하고 아름다운 프랑스식 정원은 겨울이라 그런지 넓다는 것 말고는 흔한 사진 속 풍경과 달라 아쉬웠다(그래서 베르사유 궁전의 정원을 제대로 즐기려면 겨울은 피해야 한다). 그래도 아이들은 베르사유 궁전에서 가장 보고 싶었던 '거울의 방'을 갈 수 있어서 마냥 신나 했다.

거울의 방은 70m가 넘는 연회실인데 베르사유 조약을 맺은 곳으로도 유명하다. 여기에는 황금색 동상, 수십 개의 크리스털 샹들리에가 있었다. 정원 쪽으로는 17개의 커다란 창문이 있고 반대편 벽에는 500여 개의 거울이 빼곡했다. 천장 가득 화려한 벽화가 그려진 방은 온통 황금빛이었다. 거기에다 정원에서 들어오는 자연광이 거울에 반사되면 온 방이 빛으로 차오르면서 화려함이 극에 달했다. 남편도 아이들도 그 방에 들어서는 순간 감탄을 연발했다.

두 번째 목적지 샹티 성은 중세 배경 영화에서 나올 만한 전형적인 유럽의 성이었다. 높은 나무가 층층이 줄지어 선 기다란 숲길을 지나니 넓은 호수가 보였다. 운하였다. 샹티 성은 넓고 깊은 숲과 운하로 둘러싸인 고즈넉한 성이었다. 우리가 성에 도착했을 때는 운하에서 물안개가 피어오르고 있어서 신비한 느낌을 주고 있었다. 이 성은 레알 마드리드의 호나우두가 결혼한 성으로도 유명하지만 사실 더 유명한 것은 성의 주인이었던 오말 콩데 공작이 기증한 예술품과 책으로 채운 콩데 박물관(Musée Condé)이다. 오말 공작은 기증품이 성 밖으로 나가지 못한다는 조건을 달았다. 그래서 콩데 박물관의 소장품은 직접 가야 볼 수 있었다. 이곳에서 꼭 봐야 하는 곳은 움베르트 에코의 소설 『장미의 이름』에 나올 직한, 필사본과 고서적으로 가득 찬 서재였다. 서재의 주인이었던 오말 공작은 광적으로 책을 수집했다고 한다. 2층으로 된 서가에 고서들이 빽빽이 꽂혀있고 수사들이 필사한 책들은 방 가운데 보관함에서 전시되어 있었다. 내가 서재에서 전시된 필사본과 초기 인쇄본들을 구경하는 사이에 나머지 가족들은 구경을 마치고 디저트 파는 곳을 찾고 있었다.

이미 베르사유에서 극상의 화려함을 보고 온 아이들 눈에 샹티 성이 들어올 리가 없었다. 아이들이 이 성에서 원한 것은 딱 하나, 바로 샹티 크림. 샹티 크림은 설탕을 넣고 저어 만든 생크림이다. 루이 14세 시절, 샹티 성의 요리사였던 바젤이 만든 디저트라고 전해지는데 단단하고 달콤한 생크림을 빵에 넣어 먹기도 하고 아이스크림 위에 올려 먹기도 한다. 여름에는 마당에서 샹티 크림이 들어간 디저트를 판다는데 1월이라 그런지 찾아볼 수 없었다. 실망했지만 시기를 잘못 잡았으니 어쩌겠나. 그냥 카페에서 파는 마카롱으로 헛헛함을 대신하고 고흐를 만나러 출발했다.

고흐는 서양 미술사에서 가장 중요하고 인기 있는 화가 중 한 명이다. 나도 물론 고흐를 좋아한다. 고흐가 그린 수많은 그림이 그가 죽기 마지막 10년 동안 그려진 것을 아는 사람들은 많지 않다. 미술상으로서의 잠깐의 성공도 있었지만, 그의 인생은 대부분 실패로 끝났다. 사랑에 실패하고 신앙에 매달려 종교인으로 살기 원했지만, 그것도 실패했다. 동생의 권유로 27세 늦은 나이에 화가가 되었으나 그마저 평단의 외면을 받았다. 조울증과 유전적으로 물려받은 간질 등 여러 정신 질환에 시달렸다. 그가 남긴 수많은 일기와 편지를 보면 복잡한 내면을 그렇게라도 표현하고 싶었던 게 아닐까 싶어 안쓰럽다.

대영박물관에 걸린 <해바라기>를 처음 보았을 때 난 이유 없이 눈물이 났었다. 보고 싶던 그림을 보았다는 반가운 감정은 아니었다. 캔버스 가득 채운 두꺼운 물감 위에 살아있는 듯한 붓 자국이 만든 생명력 때문이었다. 고통과 절망 속에서도 '살고 싶다, 행복해지고 싶다'라는 화가의 염원이 느껴져 마음이 아팠다. 뉴욕 현대 미술관(MoMA)에 걸려 있던 <별이 빛나는 밤>을 실제로 보았을 때도 마찬가지였다. 사라져가는 그믐달과 별을 그린 작가의 그림은 어떤 그림보다 활기찼고 살아있었다. 그래서 나에게 고흐는 살고자 하는 희망을 그리는 작가로 기억되었다.

그런 고흐가 인생의 마지막 두 달을 보낸 곳이 프랑스의 작은 시골 마을 '오베르 쉬르 우아즈'였다. 고흐는 다른 생각이 떠오를 틈도 주지 않으려는 듯 거의 매일 작품을 완성했다(두 달이 좀 넘는 기간 동안 70여 점의 유화와 수많은 스케치를 남겼다). 그러다 보니 오베르 마을의 풍경은 화가의 그림 속에 그대로 담겨 있었다.

마을로 가는 동안 그림으로만 본 오베르 마을 풍경을 실제로 본다는 생각에 들떠 있었다. 버스는 오베르 시청 앞에 주차했다. 그림 <오베르 시청> 속 넓은 잔디로 둘러싸였던 그곳은 청사 건물만 빼고 모든 것이 달라져 있었다. 잔디밭은 주차장으로 바뀌었고 시청 주위에는 현대적인 건물이 들어섰다. 시청 앞에 설치된 고흐의 그림은 130여 년 전과 현재의 모습을 비교해보기에 좋았다(고흐의 그림 속에 담긴 장소 앞에는 이렇게 그림 표지판이 서 있었다. 멋진 관광 상품이다!). 고흐가 마을에 머무르던 시기는 5월~7월 사이였다. 그래서인지 캔버스에는 따뜻하고 밝은 초여름이 담겨 있다. 그런데 실제로 만난 오베르 마을은 오락가락하는 여우비에 안개까지 옅게 깔려 있었다. 실사판 그림이 보고 싶어 들떠있던 마음은 온데간데없이 사라지고 마음속에도 안개가 깔리기 시작했다.

마을 길을 따라서 걸어가니 고흐가 그렸던 골목길, 계단들이 보였다. 그림 속 모습과는 약간 달라지긴 했지만, 전체적으로 19세기 유럽을 보는 것 같았다. 골목길 양옆으로 프랑스 옛 시골의 모습을 그대로 느낄 수 있는 낡은 집들이 보였다. 그리고 조금 더 걸어가니 오베르 교회가 보였다. 잿빛 하늘을 배경으로 한 교회는 스산한 느낌마저 들었다. 초여름 맑은 날씨에 왔다면 그림에서 느꼈던 활기를 만날 수 있었을까? 아쉬웠지만 교회 실물을 보았다는 것에 만족해야 했다.

길을 따라 계속 올라가니 공동묘지와 그 뒤로 넓게 펼쳐진 황량한 1월의 밀밭이 보였다. 1월이라 황금 들판은 못 보더라도 파란 햇살과 까마귀들은 볼 수 있지 않을까 기대했는데 더 짙어진 안개 때문에 몇 발자국 앞도 잘 보이지 않는, 비에 젖은 삭막한 겨울 들판이라 더욱 쓸쓸한 느낌이 들었다. 넓지 않은 공동묘지는 높이도 크기도 모양도 다양한 비석이 빼곡히 들어차 있었다.

균일한 간격으로 비석과 봉분이 있는 우리의 묘지와는 완전히 다른 느낌이었다. 그것들을 지나 묘지 안으로 들어가니 초록 아이비 덩굴로 뒤덮인 작은 비석 두 개가 보였다. 고흐와 테오의 묘였다.

형제의 우애는 유난히 돈독했다고 알려져 있다. 한때 능력 있던 미술상이던 고흐는 동생 테오를 돌봤고, 형이 연이은 실패로 절망하고 있을 때 테오는 화가가 되길 권유했다. 어쩌면 우리가 아는 고흐는 테오 덕에 존재하는 걸지도. 화가가 되고 나서도 평단에서 인정받지 못하고 경제적으로 힘들어 절망하고 있을 때 테오는 심리적 금전적 조력자가 되었다. 형이 언젠가는 인정받을 거라고 믿었고 갓 태어난 아이에게 같은 이름을 줄 만큼 고흐를 사랑했다. 그렇게 서로에게 기대던 형제는 눈앞에 나란히 묻혀 있었다.

우리 가족은 무덤 앞에서 각자 나름의 애도를 하고 그들의 평안을 기도했다. 그러다 문득 콧등이 시큰해졌다. 내적 친밀감이 있는 화가의 이른 죽음 때문이었는지 그의 슬픈 인생 때문인지, 어쩌면 우울해진 날씨 탓인지도 모르겠다. 옆에서 큰딸 은이가 내 눈에 맺힌 눈물을 봤는지 조용히 손을 잡았다. 쓸쓸한 오베르 마을에서 보낸 시간은 침묵의 시간이었다. 우리 가족뿐만 아니라 여행객 모두 말이 줄었다. 돌아오는 길, 마음속에는 오베르 마을을 감쌌던 안개 같은 옅은 우울감이 남았다.

파리의 러시아워를 뚫고 처음 출발한 장소로 돌아오니 저녁 시간이 훨씬 지나 있었다. 난 가족에게 숙소에 가서 밥을 먹을 거냐고 물었다. 배고프고 힘들어서 당연히 그러자고 할 줄 알았는데 아이들과 남편은 유람선을 타고 파리의 야경을 보자고 했다. 평소에 조금만 걸어도 힘들다며 들어가서 쉬자고 말하는 가족인데, 뜻밖이었다.

오베르의 무거운 분위기와는 다르게 파리의 밤은 너무 밝았다. 유람선도 각종 조명으로 낮처럼 환했고 에펠탑은 쉴 새 없이 반짝이고 있었다. 강변에 늘어선 건물들도 각자 밝은 빛을 내고 있었다. 그런데 하늘의 별은 전혀 보이지 않았다. 그러고 보니 이번 여행에서 별을 보지 못했다. 날씨도 흐렸지만, 도시가 너무 환해 밤하늘이 항상 불을 켜 둔 것처럼 푸르스름했다. 유람선에 흐르는 음악도 정시에 시작되는 에펠탑의 조명 쇼도 모두 멋졌지만 오베르 마을에서 가라앉은 마음은 그대로였다. 어쩌면 나는 빛으로 가득한 오베르 마을에서 처음 고흐 그림을 보면서 느꼈던 살아있다는 감동을 다시 경험하고 싶었나 보다. 그러나 마을은 침묵과 안개로 가득 찼고 쓸쓸했다. 유람선에 흐르는 멋진 음악도, 에펠탑의 화려한 조명 쇼도, 쉴새 없이 반짝이는 파리 시내의 빛도 가라앉은 마음을 달래지는 못했다. <별이 빛나는 밤>처럼 별과 달빛만으로 훤한, 쏟아질 듯 별이 가득한 밤하늘이 보고 싶어졌다. 어느 여름날 불빛 하나 없는 시골 캠핑장에서 보았던, 별이 촘촘하게 하늘을 채우고 있는 그런 밤하늘을.

이런저런 생각에 빠져 별 하나 없이도 환한 밤하늘을 보고 있을 때 옆에서 익숙한 웃음소리가 들렸다. 남편과 아이들이 반짝거리는 에펠탑을 배경 삼아 서로 기대어 셀카를 찍는 중이었다. 엎치락뒤치락하며 뭐가 그리 재밌는지 연신 웃는다. 새벽부터 돌아다닌데다가 저녁도 제대로 먹지 못해 피곤하고 배고플 텐데 뭐가 저렇게 신날까 하다가 문득 나 때문에 유람선을 타자고 한 건가 싶다. 내가 무덤 앞에서 눈물을 보여서? 오는 내내 우울해 해서 신경 쓰는 건가? 미안해졌다. 그제야 환하게 웃고 있는 나의 별들이 보였다. 안개와 우울로 덮여 어두워진 내 마음을 밝히려는 듯 계속 반짝이고 있었다. 같이 웃음이 났다. 활기찬 웃음소리가 별빛이 되어 마음속 가득했던 안개를 거둬내니 별빛 아래 펼쳐진 평온하고 아름다운 풍경이 보였다. 마치 고흐의 그림처럼.

이토록 완벽한 여행이라니!

진주

2023년 봄은 빨리 찾아왔다. 3월 말에 벌써 벚꽃이 만개했고, 4월 1일 만우절에는 거짓말처럼 꽃비가 되어 흩날렸다. 나는 '벚꽃이 왜 벌써 지는 거지?'라며 투덜댔다. 실은 다음 주에 계획해 놓은 경주 벚꽃 여행을 걱정하고 있었다. 세종에 이사와 친해진 언니들과 아이들 없이 하는 첫 여행이라 모두 기대가 컸다. 게다가 경주는 내가 추천한 장소이기도 해서 부담이 됐다. 혹시나 언니들 마음에 들지 않으면 어쩌나 하는 걱정에 잠도 잘 오지 않았다. 애석하게도 여행 가기 이틀 전부터 비가 내렸다. 떨어진 벚꽃잎을 보며 속상한 마음을 감출 수 없었다. 예약한 여행은 취소할 수 없었고 비가 그치기 만을 바라며 짐을 챙겼다.

약속 장소는 오송역이었다. 짐이 많아 걱정했는데 유희 언니가 자기 차로 같이 가자고 해 내심 고마웠다. 그러나 걱정이 많아서인지 전날 잠을 설쳤고 결국 예약한 알람보다 늦게 일어나 1차 멘붕이 왔다. 게다가 내가 챙겨 가기로 한 즉석 사진기가 있어야 할 자리에 없었다.

'어디로 간 거지? 발이라도 달려 걸어갔나?'

혹시 짐에 싸 놓고 못 찾나 싶어 쌌던 짐마저 다 풀었지만 어디에 꼭꼭 숨었는지 보이지 않았다. 그렇게 이곳저곳을 뒤지는 동안 아까운 시간만 흘렀다. 기차 시간은 촉박한데 사진기 때문에 온 집안을 다 쑥대밭으로 만들어 놓고도 찾지 못했다. 그때 유희 언니한테 전화가 왔다.

"어디야?"

"지금 나가고 있는데, 늦어서 택시 타고 역으로 바로 갈게요. 먼저 출발하세요."

"뭐? 잠깐만, 택시 부르지 말고 있어. 금방 가."

유희 언니 집에서 합류해 역으로 가려 했는데 결국 언니가 우리 집 앞까지 데리러 왔고 나는 계속 미안하다고 했다. 언니는 괜찮다며 나를 안심시켰다. 난 언니의 그런 배려가 고마웠다. 덕분에 미안했던 마음이 점점 편안해졌다. 다행히 기차 시간에 늦지 않게 도착했다.

하지만 기차역에서 생각지도 못한 변수가 생겼다. 우리는 다섯 명인데 누가 혼자 앉아야 하는지 결정해야 했다. 그런데 이정 언니가 복불복 제비뽑기를 미리 만들어 왔다. 언니의 재치 있는 준비성에 감탄하며 누가 걸려도 불만이 없는 복불복 게임에 순식간에 집중했다. 미처 다른 사람들이 다 뽑기도 전에 첫 순서였던 서현 언니가 혼자 앉기 패를 뽑았다. "이렇게 운이 없을 수가!"라며 언니는 탄식했고 우리는 깔깔 웃었다. 제비뽑기는 그렇게 한바탕 웃음만 남긴 채 싱겁게 끝이 났다. 나는 혼자 앉아도 좋으니, 자리를 바꿔주겠다고 했지만, 언니들은 그러면 게임을 한 의미가 없다고 안 된다고 했다. 서현 언니는 "설마, 돌아오는 기차도 나 혼자 앉는 건 아니겠지?" 하며 웃었다. 플랫폼으로 기차가 들어오고 학창 시절 소녀처럼 들떠서 우리는 기차를 탔다.

이틀이나 비가 왔다던 경주는 화창했다. 봄바람이 살랑거리고 따뜻한 햇볕이 내리쬐고 있었다. 우리는 역에서 택시를 타고 황리단길 근처 숙소로 갔다. 예상했지만 벚꽃이 다 떨어진 가로수를 보니 아쉬웠다. 애초에 벚꽃 나들이로 계획한 여행이었기에 언니들에게 미안했다.

숙소에 도착해서 짐을 풀고 배가 고픈 우리는 내가 검색해 둔 후토마끼 맛집을 찾아갔다. 열심히 인터넷 지도를 보며 길을 찾았지만 같은 골목을 돌고 도는 느낌이었다. 날은 덥고, 배는 고프고, 나는 길을 못 찾아 2차 멘붕이 왔다. 땀이 줄줄 흐르고 얼굴은 점점 빨개지고 있었다. 나 때문에 다들 고생하는 것 같아 속상했다. 길치라 방향 감각이 없어 당황한 것을 눈치챈 친구 여정이가 어느새 내 옆으로 다가왔다.

"진주야, 괜찮아! 여행은 원래 이렇게 다니는 거야. 걱정하지 말고 천천히 찾아봐."

다행히 골목을 돌고 돌아 식당을 찾았다. 한숨 돌리며 의자에 앉는 날 보며 언니들은 덕분에 황리단길 구석구석을 구경하느라 재미있었다고 말해줬다. 그제야 마음이 놓였다. 후토마끼는 한 접시를 다 먹고 더 주문할 정도로 맛있었다. 식사가 끝날 때쯤 서현 언니가 조심스레 말을 꺼냈다.

"진주야. 힘들면 언제든 얘기해. 혼자 다 안 해도 돼."

언니들은 내가 힘들어도 혼자 꾸역꾸역 다 하는 사람이라는 걸 잘 알았다. 그래서 말없이 기다려 주다가 내가 먼저 도움을 청하지 못하는 것을 알고 조심스럽게 말을 꺼낸 것이다. 그제야 나는 길 찾는 게 어렵다고 솔직하게 말했다. 언니들은 걱정하지 말라며 길 찾느라 고생했다는 말도 빼놓지 않았다. 이후 길을 제일 잘 찾는 서연 언니가 여행 내내 길잡이를 했다. 언니 덕분에 마음 편히 다니며 웃고 즐기느라 부담감은 사라지고 마음에 여유가 생겼다.

점심을 먹고 나오니 눈앞에 경성 한복집이 보였다.

"우리도 한복 입고 사진 한 번 찍을까?"

계획에 없던 일이라 서현 언니의 제안이 당황스러웠다. 언니들보다 덩치가 큰 나는 안 어울릴 것 같아 입기 싫었다. 양장은 대부분 작아서 딱 봐도 나한테 맞지 않았다. "진작에 살 뺄걸!" 투덜대며 한복을 보는데 그래도 그쪽은 입을 수 있을 것 같았다. 직원은 보라색이 잘 어울린다고 추천했다. 나는 하늘거리는 금색 자수가 놓인 보라색 치마에 흰색 저고리를 입었다. 흰 저고리가 너무 얇아 속이 보이는 것 같아 신경 쓰였지만, 언니들은 내 모습을 보고 한복이 잘 어울릴 줄 알았다며 야단법석을 떨었다. 언니들 덕분에 자신감도 생기고 기분이 좋아졌다.

이정 언니는 금박 자수가 놓인 하늘색 치마에 하얀 저고리를 입었다. 평소 보지 못하던 언니의 여성스러운 모습에 놀랐다. 비슷한 한복을 입은 우리 둘은 꼭 자매 같았다. 유희 언니는 무릎까지 오는 원피스형 초록색 개량 한복을 입었다. 장미가 그려진 망사 덧치마와 하얀 저고리로 자신만의 경성 스타일을 멋지게 소화해 냈다. 양장을 선택한 서현 언니는 빨간 치마를 입어 얇은 허리를 강조하고 그 위에 검은색 블라우스와 모자까지 세팅해 우아함을 더했다. 여정이는 순수한 느낌의 하늘색 치마에 하얀 블라우스를 입었다. 알프스 소녀 하이디처럼 발랄하고 청순했다. 서로의 모습을 보며 어쩜 다들 잘 어울리는 옷을 입었냐며 웃음을 터트렸다. 개성이 뚜렷한 옷은 또 다른 우리처럼 보였다.

기념사진을 찍기 위해 골목길을 걷다가 옛날 느낌 물씬 나는 사진관을 발견했다. 우린 모두 여기가 좋겠다며 얼른 문을 열고 들어갔다. 안에 들어서니 오래된 사진기와 멋스러운 소품들로 꾸며져 있었다. 다른 시공간에 온 듯 묘한 분위기를 풍겨 사진 찍으면 예쁠 것 같은 기대감을 높였다. 사진기사가 하라는 대로 돌아가면서 포즈를 취했다. 한 명씩 가운데 서서 '주인공 몰아주기'부터 보이지는 않지만 '서로의 뱃살 안아주기'를 무한 반복하며 웃음이 끊이지 않았다. 15분 만에 짧고 치열했던 사진찍기가 끝나고 인화할 사진을 고르다 깜짝 놀랐다. 사진이 전부 흑백이었다. 그제야 그곳이 흑백 사진관이라는 것을 알았다. 열심히 고른 옷은 색이 하나도 나오지 않았다. 하지만 사진 속 즐거운 우리들의 미소는 서로 닮아 있었다. 원본 사진을 메일로 받고 싶으면 돈을 추가로 결제해야 한다는 사진기사의 말에 우리는 망설임 없이 원본 사진을 요청했다. 사진이 잘 나와서가 아니라 찰나의 순간이 너무 아름다워서였다.

사진이 나오길 기다리는 동안 전시된 액자가 눈에 들어왔다. 나무색이 예쁜 액자에 우리 사진을 넣으면 어울릴 것 같았다. 하지만 가격이 비싸 망설이고 있는데 서현 언니가 말했다.

"진주야, 이거 사고 싶지? 얘들아, 우리 여행 기념으로 회비로 액자 하나씩 사서 사진 넣으면 어때?"

발 빠른 유희 언니는 다섯 개 사면 싸게 해줄 수 있냐며 흥정했고 이정 언니는 혹시 더 저렴한 곳은 없는지 검색했다. 총무인 여정이는 계산까지 일사천리로 마쳤다. 나는 마음에 드는 액자를 사서 너무 좋았다.

황리단길을 돌아다니며 쇼핑도 하고 저녁도 맛있게 먹고 놀다 보니 어느덧 밤이 되었다. 계획했던 일정대로 다 할 수 없었지만 무엇을 하든 그 이상으로 즐거웠다.

숙소에 들어와서도 수다는 끝이 없었다. 결국 영화 한 편까지 보고 새벽이 되어서야 잠이 들었다. 그 바람에 다음 날 오전에 가기로 계획했던 대릉원은 오후에나 갈 수 있었다. 기대했던 대릉원 돌담길 벚꽃과 즉석 사진은 없었지만 내 옆에는 나를 알아주는 사람들이 있었다. 지금이 제일 예쁘다며 날씬하게 사진 찍어주는 서현 언니와 유희 언니가 있고, 다 함께 여행해서 즐겁다고 말해주는 이정 언니, 힘들고 지칠 때마다 조용히 옆에서 있어 주는 친구 여정이가 있었다.

친구 사이가 뭘까? 늘 고민했다. 사람 만나는 걸 좋아하고 정이 많던 나는 사람들을 쉽게 믿었다. 하지만 내 마음과 달리 신뢰가 깨져 상처받는 일이 많았다. 한동안 사람들을 불신했고 진정한 친구를 만나기 어려운 것이 혹시 '내 성격이 이상해서 그런게 아닐까?' 자책하기도 했다. 사람들이 다가오면 지레 겁을 먹고 고슴도치처럼 가시를 세우곤 했다. 그때 언니들을 만났다. 언니들은 또 상처받을까 먼저 벽을 세우던 나를 기다려 주고 괜찮다고 보듬어주었다. 우리는 조금씩 서로를 알아갔고 서서히 믿음을 쌓았다. 그 안에서 배려를 배우고 존중하며 이해하는 사이가 되었다. 혼자라면 망설였던 일도 이제는 언니들이 옆에 있으면 용기 내 함께 할 수 있다.

언니들과 함께한 특별한 여행, 어디를 가느냐가 중요한 것이 아니라 누구와 가느냐가 더 중요하다. 언제든 꺼내 보며 행복해질 수 있는 이런 여행이 최고의 여행이다. 그래서 한번 외쳐본다.

"이토록 완벽한 여행이라니!"

언니들의 깔깔대는 웃음소리가 들리는 것 같다.

익숙한 곳으로

불멍 안 해도 괜찮아

한박

결혼한 지 열여덟 해가 넘어가는 동안 우리 여행의 키워드는 항상 '가성비'였다. 캠핑지에 가더라도 국립을 이용했고 여름 휴가지는 언제나 시외할머니 댁이었다. 해수욕을 즐기다가 파장하면 남들은 코앞에 숙소로 들어가는데 우리는 논둑길을 걸어 걸어 할머니 집으로 갔다. 1년 가야 한 번 만나기도 힘든 손주가 증손주까지 데리고 찾아오는 여름의 며칠이 노인의 무료한 시간에 반짝 솟는 즐거움이길 바라는 마음마저 가성비에 욱여넣었다.

결국엔 돈이었다. 우리는 시작부터 경제적으로 넉넉하지 못했다. 그렇다고 아이들이 자라는 동안 여행 한 번 안 갈 수 없는 노릇이므로 휴가철을 이용해 일 년에 두어 번 여행을 떠났다. 아이들이 어릴 때 숙소는 거의 강원도 외가였지만 형편이 나아지면서 점점 다양해졌다. 남편은 자기 통장을 구원하는 느낌으로 처절하게 열심히 가성비 좋은 숙소를 찾았다. 아직 짓는 중이면서 임시로 장사하는 펜션이라든가, 바닷가나 강가에서 살짝 비켜선 그런 곳. 아니면 사진만 너무 예쁘고 실제 모습은 절망에 가깝든지. 그나마 성수기에는 어림도 못 내고 서늘한 날씨가 와서 가격이 다운되면 그때 떠나는 여행. 일부러 주말은 피하고 평일에 학교 빼서 가는 여행.

주머니 사정을 생각해 엄청난 불만은 없었지만 때로는 나도 '누가 봐도 멋스러운 곳에서 우아하게 사진 한 방 찍으면 좋겠다'라고 생각했다. 가성비고 뭐고 플렉스 하고 싶은 기분을 남편은 모른 체 했다. "싸게 가는 게 짱이여"를 외치면서.

어느 날 남편이 통영 여행을 계획했다. 근처에 회사와 제휴를 맺은 콘도가 있는데 새로 지어서 좋다나 뭐라나. 하지만 추첨제였고 남편은 보기 좋게 떨어졌다. 비빌만한 숙소가 없으니 당연히 다음으로 미룰 줄 알았는데 남편 왈,

"풀빌라 예약했어. 바로 앞에 수영장이 있고 카약도 탈 수 있어, 사진 봐봐."

풀빌라? 여행 숙소는 무조건 가성비를 따지느라 여행 가기 일

주일 전부터 스마트폰에 이마를 파묻고 골몰하던 짠돌이가, 수영장도 돈 아까워서 모래 잔뜩 바다 수영만 고집하던 남편이, 풀빌라아?

그렇다. 정말 풀빌라였다. 게다가 깜짝 놀랄 만큼 아름다웠다. 방갈로 모양을 한 숙소 옆으로 수영장이 있었고, 아웃 테리어 자체가 황홀했다. 여덟 개의 숙소가 바나나 모양의 땅에 같은 듯 다르게 있었고 개인 숙소에서 발코니로 나와 수영장에 들어가면 모든 숙소가 이어져 있는 프라이빗한 구조였다. 동남아 느낌도 났다. 우리 숙소는 낮은 중층으로 이루어진 널찍한 집이었는데 가장 마음에 드는 곳은 욕실과 분리된 욕조였다. 욕조가 문밖에 있어서 반신욕을 즐기며 밖을 바라볼 수 있다니 온천에 온 기분이었다. 분리 욕조는 호화스러움과 더불어 실용적이기도 했다. 예전이라면 수영이 끝난 사람들은 한 명이 씻을 동안 오들오들 떨며 자기 차례가 오길 기다려야 했다. 하지만 이번엔 달랐다. 더운 욕조에서 느긋하게 쉬고 있다가 교대로 샤워했다. 아이들이 좋아했다.

그 밖에 수건과 이불을 넉넉하게 주는 것도, 중세 시대 저택의 것처럼 웅장한 중문도 흡족했다. 고딕풍 문을 열면 접이식 창이 완전히 열리는 주방이 있고 이어진 발코니에서 풍덩 입수할 수 있었다. 아이들은 현관으로 다니지 않고 주방 쪽에서 바로 카약을 타고 수영장을 가로질러 매점에 가기도 했다.

카약이 있다기에 하나 달랑 있는 줄 알았는데 호(戶)마다 카약이 따로 주차(?)돼 있어서 눈치 볼 필요 없이 이용했다. 이게 무슨 호사냐! 여행지에서 흔히 있을 다툼도 그날은 한 번도 일어나지 않았다. 다정도 돈인 양 한 듯°, 비싼 숙소는 어딘가 다르다며 부단히 속물적인 생각을 품고 행복한 오후를 보냈다.

슬슬 배가 고팠다. 청주에서부터 공수한 육류들이 냉장고에서 기다리고 있었다. 아이들은 여전히 놀고 있고 남편이 수영장에서 발코니로 올라왔다. 숯불을 지피기 위해서일 것이다. 하지만 오늘은 그냥 더 놀게 하고 싶었다. 이곳을 더 즐기게 하고 싶었다. 나는 휴대용 가스버너인 구이바다를 꺼냈다.

"가서 화로랑 석쇠 빌려올게, 빌리는데 삼만 원이래."

"왜? 우리 구이바다 가져왔잖아. 그냥 불판에 구워서 먹자."

"숯불에 먹는 거 좋아하잖아. 끝나고 불멍도 해야지."

거의 모든 여행에서 우리는 숯으로 불을 피워 석쇠에 고기를 구워 먹는데 모두 남편 전담이다. 싫어하는 기색 없이 나서서 준

°이조년의 시조 <다정가>에서 차용함.

비하는 모습을 보니 취미가 그것인가 싶기도 하다. 더운 날엔 땀을 뻘뻘 흘리며 밖에서 고기를 굽고, 날벌레를 피해 숨은 아이들을 위해 익은 고기를 안채로 실어 나른다. 추울 때도 오들오들 떨면서 고기를 굽는다. 매캐한 연기가 온몸을 감싸고 있지만 정작 자기는 가장 적게 먹는다. 익기가 무섭게 채가는 아이들에게 눈을 흘기며 큰 쌈 하나 싸서 남편 입에 넣어주면 남편은 엄지를 치켜들며 맛있다고 한다.

바비큐는 정말 맛있다. 비단 고기뿐이랴! 곁들임 채소보다 더 신선한 야외의 정취까지 더해지니 그 포만감은 이루 말할 수가 없다. 하나 그 일은 상당히 번거로우며 한 명에게 짐을 지운다. 피우고 굽고 치운 후에도 화로가 식을 때까지 기다렸다가 정리하는 것도 모두 남편 몫이었다. 세상에 당연한 일은 없다지만 우리는 그것이 당연하다고 생각했다. 하지만 오늘은 넘어가다 만 알약처럼 목구멍에 턱 하고 무엇인가 걸려버렸다.

"불멍 안 해도 돼 여보. 그냥 여기서 먹자. 오늘은 그냥 이 넓은 식탁에 앉아서 두런두런 이야기나 하자. 불멍 대신 물멍 어때?"

대다수 사람은 같은 일을 반복할 때 루틴이 생긴다. 여행을 가서 바비큐를 즐기는 것은 우리만의 루틴이었다. 캠핑장이든 펜션이든 할 것 없이 그런 곳만 찾아서 목적지를 정했다. 그러다가 문득 그 루틴을 오직 한 사람만이 감당한다는 생각이 들어버렸다. 가족을 위해서 고기를 굽고, 가성비 좋은 숙소를 찾는 일에 매번 골몰하는 불혹의 가장이 안쓰러워 보였다. 남편을 다시 물로 돌려보냈다. 불 피울 일이 없으니 좀 더 놀다가 나와도 될 일이었다. 나는 아이들이 좋아하는 파채를 무치고 밥을 데웠다. 식탁을 차리는 동안 붉었던 노을이 보랏빛이 되었다. 그제야 물에서 나온 아이들은 어째서 숯불에 고기를 굽지 않는지, 마시멜로는 왜 안 샀는지 물었다. 루틴이 아니라 무례였을지도 모르겠다. 못 박힌 당연함은 때론 폭력이 되기도 하니까. 불멍보다 물멍하는 날이라고 투덜이들을 진정시키는데 달칵 조명이 켜졌다.

완전한 어둠이 깔리기 직전에 켜진 조명은 화려하고 예뻤다. 우리 숙소 쪽에서 보면 물이 파랗게 보였고 펜션 입구 쪽 구름다리에서 바라보면 초록빛이었다. 둥둥 떠 있는 투명한 카약은 은은하게 빛났고 따로 떨어져는 있지만 곡선으로 이어진 듯한 여덟 개의 발코니 주변은 조도 낮은 등 덕분에 분위기 있었다. 낮에도 좋았지만, 밤에도 근사했다. 술을 먹지 않는 나지만 이런 날은 자줏빛 포도주를 잔에 담아 둥글게 흔들어 마셔보는 것도 낭만이겠거니 싶었다. 살짝 추웠지만 우리는 활짝 연 문을 닫지 않고 내내 물을 바라보면서 음식을 먹었다.

숯불을 찾던 아이들도 만족스럽게 배를 두드렸다. 곧 침대를 하나씩 점령하고 스마트폰에 빠져들었다. 다 쓴 밥그릇도 안 치우고 그대로 앉은 남편과 나는 서로의 이야기를 들었다. 여기 좋다, 너무 좋다. 이따가 또 카약 타자, 여름휴가는 어디로 갈까, 할머니 댁 싫으면 다른 곳으로 가자… 남편은 평소보다 말수가 늘었고 나는 그 반대였다. 물은 잔잔했다. 불보다 물이 어울리는 날이었다.

남편이 투척한 숙소비용은 여행하기 한 달 전 갈비뼈 골절 진단비를 받으면서 생긴 것이었다. 자전거를 타다가 다친 거였는데 다행히 적게 다쳤고 금방 나았다. 타박상이 아니라 골절이어서 더 좋다는 말로 너스레를 떨던 남편은 가성비부터 따지던 버릇을 배반하고 이곳을 예약했다. 남편이 턱 내놓은 고급 숙소 비용이 부상의 대가라니, 말문이 막혔다. 그러면서 부끄러운 마음이 스쳤다. 불편함을 만날 때마다 아이들 핑계 대면서 조금도 참지 않고 서슴없이 타박하던 과거의 내가 생각났다. 껄껄 웃으며 얼마만큼 아꼈는지 말해주는 남편을 궁색 맞다 생각했으면서 예전과 다른 호화로움에 철없이 즐거워하던 몇 시간 전의 내가 생각나 머쓱했다.

지금 생각하니 저렴한 숙소도 나쁘지 않았다. 사진과 사뭇 달랐던 펜션은 한겨울에 가서 볼거리도 없고 너무 춥다고 투덜거렸지만, 다음 날 꽁꽁 언 큰 논에서 썰매를 타며 엉덩이가 척척하도록 놀았다. 얼음낚시에 자신 있다더니 죽은 고기만 낚아 올리는 아빠를 아이들이 한동안 놀렸다.

한번은 통영에 1박 2일로 즉흥 여행을 갔는데 방이 하나도 없었다. 몇 번의 실패 끝에 찾아낸 숙소는 너무너무 높았다. 나는 올라가는 내내 징징거렸다. 잠이 들어버린 여섯 살 아이를 남편이 둘러업느라 무거운 짐을 내가 들어야 했고 매우 가파른 곳을 아홉 살짜리 손을 잡고 긴장하며 올라가야 했다. 들어가자마자 쏟아진 피곤을 감당하지 못해 뻗어서 자고 날이 밝아서 밖을 보니 경치가 장관이었다. 그런데 퇴실하고 내려와서보니 우리가 잔 곳이 벼랑 끝에서도 1미터 이상 돌출된 집이었다. 그 아찔한 사실에 어이가 없어서 모두 웃음을 터트렸다. 살아 있는 것에 감사할 지경이었다. 모두가 추억이었다.

조금씩 늘려가던 캠핑 장비도 소소한 즐거움이었고 한파를 예상 못 한 채 계획을 잡는 바람에 예약한 오두막에서 못 자고 펜션 사장님 방에서 신세 진 경험도 잊을 수 없다. 그럴 때마다 내내 남편은 번개탄에 불을 붙여 나무를 까맣게 만들고 자기도 까매지면서 고기를 구웠다. 씻어놓은 상추가 얼어붙은 날에도 여전히 우리를 위해 구운 고기를 날랐다. 덕분에 우리는 시시콜콜한 이야기들을 기억에 넣었다. 저장된 그 모든 이야기가 사는 내내 웃음 포인트가 됐다.

그러니 불멍은 필요 없다. 이제 나는 '남편 멍'을 때려보려고 한다(자고로 '-멍'은 때리는 것이다). 가만 보니 이 남편이야말로 재밌고 감동적인 볼거리다. 불쾌해진 얼굴로 수다스럽게 변한 남편을 보고 있자니 타닥타닥 타들어 가는 불을 바라보며 멍하니 앉았을 때보다 더 낭만적이다. 숯불이 없어도 고기는 언제나 맛있고 전통시장에서 사 온 회 한 접시도 감칠맛 났다. 함께 먹어서 더 그랬다는 단순한 진리를 깨달으면서 천천히 먹었다. 비싼 숙소가 아니더라도 같이 있을 수 있다는 정취가 내겐 안식이었음을 알아차리면서. 나의 이런 마음을 아는지 모르는지 못 말리는 그가 한마디 더 했다.

"와, 통영은 회가 진짜 싸다니까. 가성비 최고야."

여행은 계속되어야 한다

해야

'어, 나만 웃고 있네?'

봄나들이로 다녀온 군산 여행 사진을 보고 있었다. 사진 속 가족의 표정이 시큰둥하다. 사춘기 아들, 딸과 함께하는 여행이니 어릴 때처럼 마냥 반짝이는 웃음을 기대할 수는 없겠지만 여행자의 설렘이라곤 없는 표정들을 보니 군산에서의 일들과 아들의 말이 떠올랐다.

"우리는 성격이 모두 달라. 다 이상해. 어울릴 수가 없어."

"왜? 엄마는 우리 가족이 다정하고 제법 잘 어울린다고 생각하는데."

"정말? 다솜이는 맥락 없이 화를 내고, 아빠는 또 버럭 대. 엄마는 유독 겁이 많아. 모두 너무 다르다고."

"가족이어도 떼어놓고 보면 개인인데 성격이 다른 게 이상한 거야?"

"같이 있으면 불편하다는 거지. 나는 다음 여행 안 갈 거야."

맥락 없이 화를 내던 다솜이가 잠이 들고 버럭 화를 내던 아빠의 코 고는 소리가 낮게 들려오는 밤, 게스트하우스에서 아들은 불편한 속내를 꺼냈다.

아이들의 키가 엄마를 넘어서고 각자 방에 머무는 시간이 많을수록 함께 얼굴 보며 이야기 나누는 시간이 적어 아쉽다. 특히 독립을 앞둔 아들을 보면 곁에 있을 때 조금이라도 더 추억을 쌓고 싶어 조급해진다. 코로나로 여행이 조심스러운 시절임에도 소소한 국내 여행을 이어가려 애쓰는 이유다. 그러나 최근 기억을 돌이켜 보면 여행지에서 겪은 일들이 유쾌하지만은 않았다. 시간과 비용, 들인 수고에 비해 피곤함만 안고 돌아온 기억들이 많아 여행을 망설였다. 그럼에도 각자의 방에 들어앉아 있는 아이들을 보면 가족이 자연스럽게 어우러지는 시간과 공간은 여행만 한 게 없다 싶어 또 1박 2일 군산행을 감행했다.

자동차로 한 시간 남짓 고속도로를 달려 도착한 첫 방문지는 경암동 철길마을이었다. 검정 차양막을 치고 알이 굵은 전구를 줄줄이 달아 아늑한 분위기를 연출한 좁은 골목길. 쫀득이, 달고나, 아폴로, 브이콘 등 좌판 가득 추억의 과자를 파는 가게가 즐비하고, 그 사이로 복고풍 교복을 입은 관광객들의 북적임이 좋은 곳이었다. 한창 코로나로 조심스러운 시기에 이렇게 붐벼도 되나 싶었지만, 여행지의 맛이 느껴졌다. 아이들은 국자에 설탕을 가득 담고 연탄불에 올려 살살 저어가며 얼굴만 한 달고나를 만들고 노란 바구니에 먹고 싶은 과자들을 담으며 싱글벙글 웃었다. 남편은 우리 사진을 찍으며 교복을 입은 사람들에게 관심을 보였는데 '우리도 교복 맞춰 입고 사진 찍자는 건가? 번거롭게'라는 생각이 들어 얼른 숙소로 가자고 말했다. 이때부터 우리 여행이 싱거워지기 시작했음을 나만 몰랐다.

숙소는 근대화 거리에 있는 시대형 숙박 체험관 '여미랑'이었다. 박물관, 옛 군산 세관, 동국사 등 다양한 여행지를 둘러보기 좋고 아담한 정원이 딸린 예쁜 적산 가옥이라 모두 좋아할 줄 알았다. 그러나 기대와 달리 다솜이는 문을 열자마자 낡은 내부와 익숙하지 않은 일본식 가옥 구조가 마음에 들지 않는다며 투덜댔다. 숙소는 바꿀 수 없으니 어쩔 수 없고, 대신 선유도에 가서 오토바이를 타면 재미있을 거라고 딸을 달랬다. 그렇게 우리 가족은 선유도로 향했다. 양쪽에 바다를 끼고 달리는 새만금 방조제 드라이브는 좋았다. 잔잔한 물결이 햇살에 반짝이는 모습은 평화로웠다. 하지만 선유도에 가까워질수록 밀려드는 차들로 점점 불안해졌다. 도착해 보니 작은 섬 안은 관광객으로 넘쳐났고, 좁은 도로는 차와 오토바이로 엉망이었다. 그 모습을 보니 한숨이 났다. 다솜이는 오토바이 대신 집라인을 타면 어떻겠냐고 했다. 그러나 집라인 또한 대기 줄이 끝없이 이어져 있어 기다릴 엄두가 나지 않았다. 내가 고개를 절레절레 젓자 남편은 그대로 차를 돌려 섬을 빠져나왔다. 다솜이도 별말 없길래 얼른 회를 사서 숙소로 돌아가는 게 낫겠다 싶었다. 수산 시장에서 장을 봐 돌아가는 길, 하늘을 붉게 물들이는 서해 낙조는 장관이었지만 가족들은 입을 꼭 닫고 있었다. "낙조는 역시 서해야!"라며 한껏 높인 내 목소리만 어색하게 차 안을 떠돌았다.

그래도 어쩌랴! 기운 돋우는 데는 맛있는 음식만 한 게 또 없으니 숙소로 돌아와 서둘러 상을 차렸다. 입안에서 부드럽게 씹히는 광어회와 시원한 소주 한 잔에 피로가 풀리는 듯했다. 아이들도 기운이 돌아왔는지 학교 이야기, 친구 이야기를 들려주며 조금씩 분위기는 회복되었다. 이 기세를 놓칠세라 나는 이곳이 일제 강점기 쌀 수탈의 아픔을 지닌 역사 거리라고 알은체도 했다. 일정이 짧으니 적당히 배를 채우고 추천받은 야식 치킨도 살 겸 우리는 불빛이 들어찬 밤거리로 나섰다. 이국적인 거리엔 눈길을 끄는 소품 가게, 음식점이 많았다. 특히 활짝 열린 테라스 창을 통해 은은한 호박색 조명이 새어 나오는 2층 카페는 그냥 지나칠 수가 없었다. 치킨 가게를 찾아 주문해 놓고 고풍적인 분위기를 물씬 풍기는 그 카페로 가족들을 몰고 들어갔다. 풍미 좋은 커피와 밀크티, 쿠키를 먹으니 기분이 좋아진 나는 이것이 여행의 맛이라며 혼자 신나 사진도 찍어댔다. 치킨을 찾아 숙소로 돌아와 맥주를 꺼내오는 나에게 아들이 말했다.

"또 먹어? 온통 먹은 기억밖에 없네."

"치킨은 따뜻할 때 먹어야 제맛이지. 치킨엔 또 맥주고. 내일은 박물관이랑 유명한 관광지 둘러보자."

"굳이? 난 관심 없는데."

"그래도 군산 왔는데 이름난 곳은 둘러봐야지."

나는 아들의 눈치를 보았고 아들은 시큰둥하니 고개를 끄덕이고는 치킨을 먹었다. 밤이 깊어 주변을 정리하고 씻고 나오니 어느덧 열한 시. 다들 자려고 누웠는데 다솜이가 징징거리기 시작했다. 배가 고프다는 것이다. 나는 귀를 의심했다. 조금 전까지 먹었는데 어떻게 배가 고플 수 있지? 성장기라서 그런가? 이해해 볼 새도 없이 남편이 호통을 쳤다.

"거짓 배고픔에 속지 마! 그만큼 먹었는데 배고플 리가 없다."
"내가 배고프다는데 왜 아빠가 아니라는 거야!"

아빠의 큰소리에 다솜이의 울음은 공격적으로 바뀌었다. 가끔 겪는 일이지만 다솜이의 뜬금없는 말과 아빠의 예민한 반응에 당황했다. 마음이 상한 아이는 한동안 더 씩씩대며 울었고, 아빠는 내일 일어나면 바로 집으로 갈 거라며 돌아누웠다. '다들 왜 이러는 거지? 피곤한가?' 울음이 지나가길 기다리는 몇 분이 초조했다. 실컷 운 다솜이가 내 옆에 와 누웠다. 우느라 지친 아이의 머리를 쓰다듬고 사랑한다고 말해주니 아이도 화내서 미안하다고 말하며 곧 잠이 들었다. 한숨을 돌리는데 가만히 누워있던 아들이 에어팟을 귀에서 빼며 말했다.

"난 이제 같이 다니기 싫어."

돌아보면 여행지에서 나름 행복한 우리였는데 최근엔 왜 이렇게 돼버린 건지. 다솜이의 예민함을 핑계 삼기에는 부족한 무언가가 있는데 그걸 몰라 답답했다. 언제부터 내리기 시작했는지 후드득 빗소리가 귓속을 파고들며 몸은 피곤한데 쉽게 잠들 수 없는 밤이 지나가고 있었다.

다음 날 아침, 한일옥에서 식사하고 남편은 곧장 집으로 차를 몰았다. 차창으로 가보고 싶었던 이성당, 근대역사박물관, 군산세관이 휙휙 지나갔다. 섭섭한 마음에 터져 나오려는 한숨을 삼키며 이번 여행을 되짚어 보았다. 아이들과 함께 추억을 공유하고 싶어 나선 길인데 군산에서의 일정이 아들 말처럼 먹었던 기억밖에 없으니 한심했다. 무엇 하나 제대로 체험한 것 없이 그저 구경꾼이 되어 부른 배를 출렁이며 돌아다니기만 한 것 같아 미안했다. 심지어 모든 일정이 나의 말과 선택에 따라 움직여졌다. 내가 의도한 건 아닌데 그렇게 되었다. 마치 내가 조종하는 마리오네트 인형처럼 식구들이 움직인 것이다. 깨닫고 보니 모두 각자 귀한 시간을 내어 길을 나섰는데 나는 아이들의 말을 경청하지 않았고 아이들이 하고자 하는 것에 적극적으로 호응하지 않았다. 심지어 남편에게는 무엇이 하고 싶은지 물어보지도 않았다. 어디에서 무엇을 하든 그것에 흠뻑 빠져들어 몸을 움직일 때 우리는 한결 재미있고 즐거운 추억으로 기억한다. 그것을 무시하고 나는 그저 구경꾼이 되어 겉돌기만 했다. 철길마을에서 복고풍 교복을 맞춰 입고 익살스러운 포즈로 가족사진 찍을걸. 사람들이 오토바이 타고 섬마을을 달리는 기분을 우리도 느꼈다면 숙소로 돌아오는 차 안이 풍성한 이야깃거리로 소란스러웠을까? 푸른 바다 위를 집라인에 매달려 신나게 활공했다면 다솜이는 울지 않고 잠이 들었을지도 모를 일이다. 뒤늦은 후회가 왈칵 몰려와 코끝이 시렸다.

여행지에서는 그곳에서만 즐길 수 있는 체험과 도전이 있다. 아이들은 그런 일탈을 통해 호기심을 충족하고 여행이 주는 생기를 맛본다. 이제 내 스타일의 여행에서 벗어나 가족 모두의 개성과 취향이 녹아있는 여행으로의 변화가 필요하다. 여태껏 내가 나서서 여행을 주도하는 것이 가족을 위해 좋은 일인 줄 알았다. 그런데 알고 보니 남편과 아이들이 나에게 맞춰주고 있었다는 것을 깨달았다. 집으로 돌아오는 길 뜨거운 한숨을 삼키며 답답했던 마음이 서서히 풀어졌다. 가족은 한 울타리 안에 뿌리를 내린 각자 다른 나무 같아서 저마다의 꽃과 열매를 맺어도 그 뿌리는 깊이 뻗어 서로 맞잡고 있음을 안다. 이번 여행이 조금은 삐

거덕거렸지만 나 자신을 돌아보게 하고, 여행을 대하는 태도가 달라져야 함을 깨닫게 했다. 다음부터는 여행지 선정과 일정까지 가족과 함께하고 그들의 취향과 선택을 존중하는 여행으로 디자인해야지. 익숙한 나를 벗고 새로운 나를 만나는 여행. 모두가 만족할 수 있는 여행을 다시 꿈꾸며, 여행은 계속되어야 한다.

비 오는 게 뭐 대수라고

글짓는앤

"막내야, 방금 보낸 카톡 사진 봤지? 내 친구가 이번에 변산 갔는데 맛조개를 그렇게 많이 잡았대. 우리도 이번 주에 변산 가서 맛조개 꼭 잡아 오자!"

고사포 해수욕장에 가서 바지락만 잔뜩 잡고 맛조개는 구경도 못 한 언니는 두고두고 미련이 남았는지 우리도 가자고 꼬드긴다. 바다에 가는 게 내키지 않았지만 워낙에 나를 잘 챙겨주는 언니였기에 차마 안 간다고 할 수가 없었다. 안 간다고 하면 언니가 서운해할 것 같았다.

한 주가 지나고 변산에 가기로 한 날이 다가왔다. 전날 밤 일기예보를 보니 일요일에 흐리고 비가 온단다. 일요일 아침, 창문을 열고 손을 내밀어 보니 차가운 빗방울이 하나둘 떨어진다. 차라리 잘됐다 싶어 당장에 언니에게 전화했다.

"언니, 여기는 비 한두 방울 떨어지는데, 전주는 어때? 아무래도 비가 많이 올 것 같은데 어떡하지, 다음에 갈까?"

"비 금방 그친다고 했어. 내가 김밥도 싸고 간식이랑 과일도 다 챙겼으니까 너는 물만 챙겨가지고 와."

알았다고 대답은 했지만 썩 내키지는 않았다. 뭉그적거리며 짐을 꾸리기 시작했다. 그저 비가 오지 않기를 바랄 수밖에. 이왕 가기로 한 거 기분 좋게 놀다 오자 마음먹었지만 자동차 유리에 부딪힌 빗방울이 또르르 흘러내릴 때마다 불안감이 커졌다.

열 시쯤 도착한 변산 해수욕장. 옅은 잿빛 구름 사이사이로 보이는 흰 구름에 날씨가 좋아질 거라는 희망을 품고 짐을 풀었다. 형부가 오늘 개시한다는 새 텐트를 치고 테이블과 의자까지 펴 놓으니 캠핑 분위기도 나고 흐린 마음도 조금씩 걷혔다. 비가 오면 어쩌나 하는 걱정이 남아있긴 했지만 '이제 맑아질 거야. 일기예보에서 비 오다가 분명 갠다고 했어.' 주문처럼 이 말을 반복하며 불안을 잠재웠다.

빙 둘러앉아 언니가 싸 온 김밥과 과일로 늦은 아침을 먹었다.

'유장금'이라는 별명에 걸맞게 김밥도 종류별로 예쁘게 싸서 도시락에 담아왔다. 요리 블로그에서나 볼 수 있을 법한 비주얼이다. 얇게 부친 계란 옷을 입은 노란 김밥, 속이 꽉 찬 누드김밥, 내가 좋아하는 참치김밥 등 군침 도는 김밥 한 상이 차려졌다. 일찍부터 도시락 싸느라 분주했을 언니를 생각하니 빈손이 부끄러웠다. 우리 가족은 아무 준비 없이 몸만 달랑 온 것 같아 형부 보기도 민망했다.

"우와! 김밥 비주얼 장난 아니네. 완전 맛있다. 우리 언니 일찍부터 도시락 싸느라 고생 많았어. 저녁은 내가 살게."

다소 유난스러운 칭찬으로 미안함을 대신했다. 푸짐한 음식과 즐거운 대화로 가득했던 화기애애한 분위기는 쏟아지는 비로 순식간에 사그라들었다. 식사가 끝나갈 무렵, 회색빛 하늘이 빠르게 먹구름으로 뒤덮이더니 빗방울이 세차게 쏟아지기 시작했다. 신랑과 형부는 정신없이 바깥 짐들을 정리하고, 나와 언니는 아이들을 데리고 텐트 안으로 들어갔다. 휘몰아치는 바람과 텐트 위로 쏟아지는 빗소리가 심상치 않았다.

'아! 진짜! 이런 날 바다에 오는 게 아니었어. 이게 뭐냐고?'

차마 내뱉지 못한 짜증이 머리끝까지 차올랐지만 꾹꾹 삼키며 얼굴만 붉혔다. 맛조개고 뭐고 그냥 이대로 집에 가고만 싶었다. 비가 쏟아지는 바다에 일 분 일 초도 더는 머물고 싶지 않았다. 아이들은 엄마 속도 모르고 금세 자신들만의 놀이에 빠져들었다.

'저 녀석들은 비 온다고 투덜댈 때는 언제고 이제 와서 뭐가 그렇게 좋다고.'

날씨는 물론 눈에 보이는 모든 것들이 죄다 눈엣가시였다.

멈추지 않을 것 같던 빗줄기가 서서히 사그라들었다. 비가 잦아들자 언니는 맛소금과 갈퀴를 담은 통을 들고 갯벌로 나갈 준비를 했다. 달그락거리는 소리가 났지만 애써 모르는 척했다. 이런 날씨에 갯벌로 나가는 언니는 왜 그렇게 청승맞아 보이는지, 왜 내 마음까지 불편하게 하는지 모르겠다.

언니가 바다에 나가는 것을 알면서도 나는 텐트 안에서 꼼짝않고 있었다. 습한 공기와 젖은 옷도 불편하고 만사가 다 귀찮아져 핸드폰을 보며 짜증을 삭히고 있었다.

'두 시간이나 걸려서 왔는데 비 쏟아지고 이게 무슨 난리인지 진짜!'

그때, 텐트 밖에서 신랑 목소리가 들렸다.

"색시, 처형 혼자 갯벌 나갔어. 우리도 따라가자."

비 오는데 어딜 가냐며 퉁명스럽게 대꾸하자 이번에는 두 아이가 "엄마, 그림책에서 나온 맛조개 꼭 잡아 보고 싶단 말이야"라며 내 팔을 끌어당겼다. 하는 수 없이 아이들을 따라 바다로 나갔다. 추적추적 내리는 비부터 발길 닿는 곳마다 끈적이며 달라붙는 모래까지 모든 상황이 싫었다. 터덜터덜 내딛는 걸음마저도 신경질적이었다. 두 아이는 우산도 신발도 팽개쳐놓고 갯벌 위를 뛰어다녔다.

"엄마도 우리랑 같이 놀자! 진짜 재밌어. 빨리 들어와!"

비를 맞고도 세상 행복한 표정으로 뛰노는 두 딸을 보다가 피식 웃음이 새어 나왔다. '에라 모르겠다, 어차피 젖은 몸 더 젖으면 어때?' 하고 부드러운 진흙 위를 걷다 보니 기분이 썩 좋아졌다. 결국 내가 더 신나서 딸들에게 물을 뿌리며 철부지 아이처럼 물웅덩이를 뛰어다녔다. 마음 한 번 바꿔 먹으면 이렇게 즐길 수 있는데 왜 그렇게 심술을 부렸을까.

아이들과 한창 뛰어다니다 고개를 돌리니 한 손에는 우산을 들고 또 한 손으로는 열심히 갈퀴질하는 언니 모습이 눈에 들어왔다. 먹을 수 있는 것이라면 뭐든 뜯고 캐고 따는 언니는 바다에 와서도 쉬지 않는다. 그때 언니가 외쳤다.

"얘들아, 빨리 와봐! 여기 맛조개 구멍 찾았어."

서둘러 달려간 우리는 구멍에 맛소금을 뿌리고 머리를 내밀기만을 기다렸다. 맛조개가 살짝 나왔을 때 잡아버리면 금방 쏙 빠져나갈 수 있으니 잠자코 기다려 보기로 했다. 여기 있다고 신호라도 보내듯 맛조개는 '찌익' 물총을 쏘아 댔다. 갯벌 위로 솟아오르는 물줄기에 두 아이는 더욱 흥분된 목소리로 말했다.

"우와! 이제 진짜로 나오려나 봐! 정말 신기하다."

갯벌 위로 올라온 녀석을 이때다 싶어 꽉 잡아 올렸다. 기다리고 기다리던 첫 번째 맛조개를 잡고 우리는 로또 맞은 사람처럼 환호성을 지르고 방방 뛰었다. 잘라놓은 머윗대 같기도 하고 엷은 나뭇가지 같기도 한 녀석은 말랑말랑 보드라운 속살을 내밀었다 집어넣었다 하며 마지막까지 살기 위해 안간힘을 썼다. 첫 번째 맛조개를 시작으로 우리는 몇 개를 더 잡았고, 녀석이 물총을 쏠 때마다 아이들은 폴짝폴짝 뛰며 까르르 웃었다. 갯벌 위에 작은 구멍이 보일 때마다 "맛소금! 맛소금 빨리!"를 외치며 구멍 속으로 하얀 맛소금을 들이붓다시피 했다. 순식간에 도망가는 맛조개를 잡기가 쉽지 않았지만 아이들에게는 얼마만큼 많이 잡느냐보다 맛소금을 뿌리고 갯벌의 흙을 파내는 과정 자체가 큰 재미였다.

소라를 이고 총총총 도망가는 소라게를 보면서도, 단단한 바위에 붙은 따개비를 보면서도 아이들은 호기심 가득한 눈빛을 보냈다. 뽀얗고 맨들맨들한 조개를 줍고는 껍질 위에 그림을 그리겠다며 주머니에 챙겨 넣기도 했다. 아이들에게 바다는 곧 신나는 놀이터였다. 비가 와서 온몸이 축축해지고 끈적해지는 것쯤은 별거 아니었다. 바다에서 재미있게 뛰어노는 그 순간을 온몸을 다해 즐길 뿐이다.

여행에서 가장 필요한 것은 태도일지 모른다. 여행은 언제든 계획이 어그러질 수 있는 변수들로 가득하다. 오늘 나의 가장 큰 변수는 날씨였다. 궂은 날씨 때문에 걱정과 짜증으로 출발했지만 결국 웃으며 마무리했다. 맛조개를 잡기 위해 떠나온 이번 여행이 우리 가족에게는 비를 맞아가며 즐겁게 놀았던 최초의 기억이 되었다. 앞으로 아이들은 어딘가에서 조개 잡는 모습을 볼 때마다 우리도 갯벌에서 맛조개 잡아 봤다며 아는 척을 하고, 그날 일을 무용담처럼 늘어놓을 것이다.

이제 나도 날씨 따위에 일희일비하지 않고 비 오는 것쯤은 대수롭지 않게 넘길 수 있는 여유가 생겼다. 어쩌면 이런 불확실함도 여행의 묘미일 것이다.

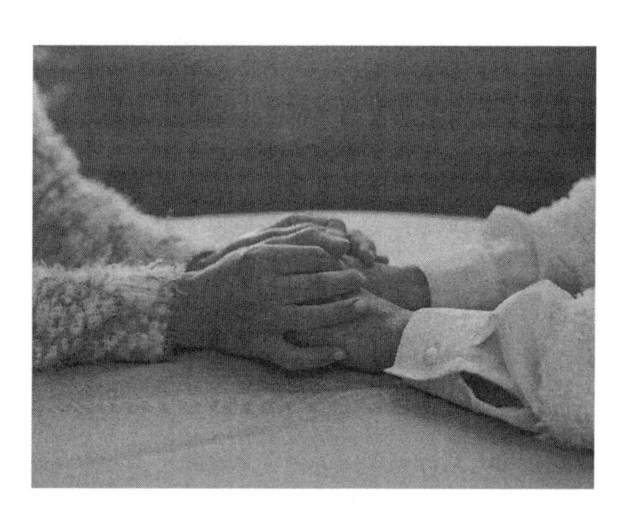

조문하러 가는 길

골방지기

8월의 어느 날 아침, 한창 수업 중에 핸드폰 진동이 울렸다. 지수였다. 그녀는 대학 신입생 시절, 나의 첫 룸메이트였다. 무슨 일인가 싶었지만, 수업 끝나고 다시 연락할 요량으로 수신 거절을 눌렀다. 그리고 내가 다시 메시지를 확인한 시간은 오후 2시가 훨씬 지난 후였다.

- [부고 알림]
김일웅 님께서 별세하셨습니다
빈소 : 00 장례식장
상주 : 김종훈, 유지수

이어서 지수의 메시지가 하나 더 도착해 있었다.

- 시아버님이 돌아가셨어.

그제야 아침에 지수가 왜 전화했는지 알았다. 단박에 수신 거절했다는 것이 미안해졌다. 바로 '삼가 고인의 명복을 빈다'라는 조문 메시지를 보내면서 마지막에 진심을 담은 문장을 더했다.

- 지금 갈게. 이따가 보자

장례식장은 어림잡아 40분은 걸리는 거리였다. 어쩌면 저녁 전까지 돌아오지 못할 수도 있겠다 싶었는데 마침 남편이 일찍 퇴근했다. 나는 본격적으로 장례식장에 갈 준비를 했다. 제일 먼저 옷장을 열었다.

'장례식장에 입고 갈 옷이 있나?'

35도가 넘는 불볕더위였다. 가지고 있는 어두운 옷들은 약간의 두께감이 있어서 입고 나갔다가는 내가 쪄 죽을 판이었다.

'이전에는 뭘 입고 조문했더라?'

그러다 문득 떠올랐다.

'마지막 조문이 언제였더라?'

40대 후반에 들어서면서 부모상을 알리는 부고 문자가 늘었다. 이전에는 부고 문자도 드물었지만, 간혹 오는 알림도 조부모상이 대부분이었다. 게다가 몇 년 전까지는 아이들이 어리다는 핑계로, 최근에는 코로나를 핑계로 대부분 온라인으로만 마음을 보탰다. 그래서 제대로 차려입고 조문하러 간 것은 8년 전 먼 친척 어른의 장례식장이 마지막이었다.

"입을 게 없으면 그냥 윗도리만 어두운색 입어. 짧은 바지 입지 말고. 어휴, 그러니까 옷 좀 미리 사두라니까."

남편의 잔소리에 엉뚱한 곳으로 흐르던 생각의 흐름은 다시 원래 자리로 돌아왔다. 나는 옷을 고르며 남편에게 말했다.

"조문하러 가는 게 자주 있는 일도 아니고, 이런 일이 있을 줄 누가 예상이나 했나?"

"그러니까, 우리 나이에는 이런 일이 언제든 생길 수 있으니까, 이제라도 계절별로 한 세트씩 준비해 둬."

남편 말이 옳다. 일상에서 벗어난 이런 일이 좀 더 자주 생길 수 있으니. 그래도 잔소리는 듣기 싫다. 대화의 방향을 다른 데로 돌리려 실없는 소리를 했다.

"여보, 난 여름은 피해서 죽을 거야."
"왜? 여름을 왜 피해?"
"여름에 내 장례식장에 오는 사람들, 더워서 죽을까 봐. 여름에 검은 정장이라니 너무 덥잖아. 그리고 찾아보니까 되도록 맨살은 가리는 게 예의라는데? 조문하러 오다가 다 쪄 죽겠어. 그래서 난 시원할 때 죽으려고."

남편이 웃는다. 웃음소리에 즐거움은 잠시, 다시 궁금증이 생겼다.

'그런데 이렇게 장난치며 웃고 떠들어도 되나?'

갑자기 죄짓고 있는 듯한 기분이 들었다. 누군가가 죽고, 지금 그 자리에 유족을 위로하러 가려고 준비 중인데 웃고 떠들어도 되는가? 그런데 지수의 시아버님은 어떤 분이라고 했더라? 지수에게 시아버님의 이야기를 들은 기억은 별로 없었다. 30년 가까이 알아 왔는데 얼마 전 시어머니가 수술하셨다는 게 들은 전부였다. 이런 생각들을 하면서 운전대를 잡았다.

오후 3시. 햇볕이 얼마나 뜨거운지 에어컨을 켜 뒀음에도 불구하고 내 얼굴은 벌겋게 익어가고 있었다. 게다가 한창 졸릴 시간이었다. 눈꺼풀은 점점 무거워졌다. 나는 졸음을 쫓기 위해 라디오를 켰지만, 음악은 의미 없는 소음으로 바뀌고 나는 다시 이런저런 생각에 빠져들었다.

'문상 절차가 어떻게 되었더라?'

'절하는 것 대신 기도하면 되고, 향은 꽂았었나? 또 상주한테는 어떻게 했더라?'

그런 생각들이 꼬리에 꼬리를 물고 떠오르다 어머님의 장례가 생각났다. 그날의 풍경과 삼삼오오 들어서던 조문객들의 모습이 기억난다. 지방까지 내려와 찬송가를 부르며 위로해주던 교회 구역 집사님들, 멀리서 찾아와 준 나의 대학 친구들. 찾아온 이들도, 대화를 나누던 분위기도 다 생각나는데 정작 내가 무슨 생각을 하고 있었는지 떠오르지 않았다. 그러는 사이 다시 졸음이 쏟아졌다. 마침 라디오에서는 내가 좋아하는 가요가 나오고 있었다. 졸음을 쫓아내려고 마치 노래방에 온 것처럼 큰소리로 따라 부르다 보니 어느새 장례식장에 도착했다. 운전하는 내내 머릿속에서는 일상과 비일상의 사고가 반복되고 있었다. 나는 다시 죄책감이 들었다.

'오늘은 이러면 안 되는 거 아니야? '

'뭐가 좋다고 이렇게 큰 소리로 노래했을까?'

'조문하러 가는 길에는 마음도 계속 위로하는 상태여야 하는 게 아닐까?'

'지수를 만나면 제일 먼저 뭐라고 말해야 하나?'

이제 머릿속에서 오락가락하는 생각들을 끊어 낼 시간이 되었다. 거울을 열고는 내 표정을 확인했다. 너무 어둡지는 않은 지, 너무 밝지 않은 지 확인한 다음, 심호흡을 하고 차에서 내렸다. 조문이라는 낯선 의식을 앞두고 실수라도 하지 않을까 손에 땀이 맺혔다.

장례식장에는 아직 가족들만 있었다. 이제야 조문객 받을 준비를 끝낸 것 같았다. 눈이 마주친 종훈 씨가 반갑게 맞으며 지수를 불러주었다. 지수를 본 순간 여기까지 오면서 이어온 생각이 모두 부질없음을 알았다. 졸음을 깨기 위한 일상적인 행동과 낯선 조문에 대한 비일상적인 고민 사이에서 오고 가던 생각들은 순식간에 사라져버렸다. 그리고 상주에 자리에 있던 내가 떠올랐다.

나는 정신이 없었다. 상주여서 찾아오는 조문객을 맞기에 바빴다. 찾아오는 이들에게 안부를 묻고 어머님이 어떻게 돌아가신 건지 설명하고 앞으로의 일정을 말하는 데 시간을 보냈다. 눈물은 나지 않았다. 실감이 나지 않았나 보다. 장례를 잘 끝내고 나서야 진짜 슬픔이 밀려왔다. 장례식 기간 내내 정신없이 바빴던 것이 오히려 다행이었다.

내가 지수에게 할 수 있는 것은 잘 다녀가는 것이었다. 지수를 보자마자 꼭 안아주었다. 그리고 지수가 하는 이야기를 가만히 들어주었다. 시간이 흘러 조문객들이 많아지자 시어머님과 다른 가족들에게 인사를 하고 자리에서 일어났다.

집에 돌아오는 차 안에서 다시 어머님의 장례식을 떠올렸다. 그때 조문이란 함께 일상의 이야기를 나누면서 슬픔을 잠시 잊을 수 있도록 위로하는 시간이라고 생각했다. 부고장이 오면 함께 있어 줌으로 나를 위로한 사람들처럼 나도 그렇게 하겠다고 다짐했다. 그런데 오늘 나는 옷을 비롯한 겉모습들만 고민하고 있었다. 진정한 조문의 시작은 만사 제치고 일단 가는 것이다. 같이 있어 주는 것만으로도 충분하다.

나이를 먹어도 위로는 여전히 서툴다. 하지만 준비하고 있다면 조금 덜 당황할 순 있겠지. 이참에 예법에 맞는 옷 한두 벌쯤은 준비해 둬야겠다.

여름 온천

진주

거실 소파에 가만히 앉아 있어도 땀이 줄줄 흘렀다. 이런 날에는 계곡에 발 담그고 수박 한 조각 먹으면 진짜 시원하겠다. 여름은 뭐니 뭐니 해도 피서가 제격이다. 어린 시절 여름방학이면 엄마, 아빠가 어디로 피서지를 정했을지 그것부터 궁금했다. 우리 가족은 매년 계곡이나 바다로 피서를 떠났는데 마음껏 물놀이할 수 있어 좋았다. 유난히 이른 더위에 지쳐서인지 어릴 적 물놀이 생각이 났다. 내친김에 부모님과 피서를 다녀와야겠다 싶어 전화를 드렸다.

"엄마, 아이들 방학하면 어디 놀러 갈까?"

"좋지, 정동진 근처에 무슨 온천이 있다고 하던데, 물이 좋대! 거기 가자."

더운 여름에 온천이라니, 생각지도 못한 이야기에 나는 조금 당황했다. 하지만 요즘 두 분 다 건강이 안 좋으셔서 물놀이보다 온천에 가서 푹 쉬다 오는 것도 좋겠다는 생각이 들었다. 서둘러 온천 호텔을 검색하고 숙소와 기차표를 예매했다. 부모님과는 정동진역에서 만나기로 하고, 가는 날을 손꼽아 기다렸다.

정동진 가는 기차는 20년 만에 타는 거라 설렜다. KTX는 인터넷, 넷플릭스도 되고 무선 충전기도 좌석마다 있어 편리했다. 이번 여행에 딸이 동행했는데 딸은 기차가 출발하자마자 인터넷을 연결해 음악을 들었다. 나는 넷플릭스 영화를 보고 싶어 연결을 시도했지만 계속 실패를 거듭하다 포기했다. '기계에 서툰 내가 할 수 있는 일은 아닌가 보다' 하고 창밖을 보는데 넘실대는 바다가 장관처럼 펼쳐지고 있었다. 창문은 넓고 큰 액자가 되어 푸른 바다를 한 폭의 그림처럼 담아냈다. 기차에서 보는 동해의 바다 풍경은 속이 뻥 뚫리는 것같이 시원했다. 넋을 놓고 창밖 풍경을 보다가 정동진역에 도착했다.

기차에서 내리자마자 보이는 정동진 바다는 달리던 기차에서 봤던 바다와는 또 다른 느낌이었다. 깨끗하고 투명한 에메랄드빛 바다가 끝없이 펼쳐졌다. 나는 연신 감탄하며 사진을 찍다가 예전에 보았던 기억 속 모습 그대로여서 울컥하기도 했다. 너무 멋지다며 딸과 호들갑을 떨며 사진을 찍다 이런 우리의 모습을 지긋이 보고 계시는 친정 부모님을 발견했다. 나는 무안하고 미안한 마음에 인사도 잊은 채 왔으면 말을 하지 그랬냐며 괜히 구시렁댔다. 지난해 겨울에 보고 반년 만에 만난 엄마 얼굴이 그제야 눈에 들어왔다. 엄마는 살이 많이 빠져 있었다. 코로나를 심하게 앓고 백내장 악화로 응급수술까지 받으셔서 몸이 약해지셨나 걱정되었다. 하지만 나는 걱정스러운 마음을 보이면 엄마가 불편해할 것을 알기에 마음을 숨기고 밝게 인사를 했다.

친정 부모님은 바닷가에 서 있는 소나무에 관심을 보이셨다. 오래전 <모래시계>라는 드라마에 나왔던 그 소나무인지 궁금해하셨다. 두 분이 고현정 나무가 맞다 아니다 실랑이를 벌이는 모습을 보니 옛 추억이 떠오르나 싶어 사진을 찍어 드리려고 했다. 그런데 두 분은 사진 찍기 싫다며 다음에 고현정 나무를 찾으면 찍을 거라고 손사래를 치셨다. 다음에 또 언제 올지 모르는데 지금 찍자고 해도 꼭 다시 올 거라면서 찍지 않았다.

문득 앨범에서 보았던 부모님의 젊은 시절이 떠올랐다. 아빠는 나팔바지에 짝 붙는 짧은 남방을 입고 모델처럼 포즈를 취하고 있었고 엄마도 롱코트를 입고 하이힐을 신은 모습이 멋졌다. 추억이 담긴 여행지에서 젊고 아름다웠던 시절이 떠올라 나이든 지금 모습으로는 사진 찍기 싫으신 건지 고현정 소나무가 잘 컸는지 보고 싶다는 엄마의 말에 코끝이 찡했다. 엄마가 보고 있는 바다를 말없이 바라보다 우리는 아빠 차에 올라 온천 호텔로 향했다.

내가 예약한 호텔로 가는 길은 스키장에서나 볼 법한 가파른 오르막이었다. 오르막길을 올라갈 때 차가 뒤로 넘어가지는 않을까 불안했다. 아까의 푸른 바다가 검푸른 바다가 되어 길 뒤편에 자리 잡고 있었다. 겁이 많은 내가 무서워하는 걸 느꼈는지 엄마는 베테랑 아빠의 운전 실력으로는 절대 그럴 일 없다며 웃으셨다. 나는 괜찮다고 말했지만, 주먹을 꽉 쥔 손에 땀이 나는 것은 어쩔 수 없었다. 무서운 건 무서운 거였다.

무사히 호텔에 도착하자 언제 그랬냐는 듯 기분이 좋아졌다. 주차장에서 바라본 바다 풍경에 무서움도 금방 잊었다. 체크인하고 부모님과 딸을 챙겨 호텔 방으로 갔다. 방으로 들어서자 탄성이 절로 났다. 사방이 통창으로 이루어져 있어 거실, 침대방, 화장실까지 모두 바다 위에 떠 있는 것 같은 착각이 들 정도였다. 무서웠던 경사로 생각이 안 날만큼 멋진 풍경이었다. 뒤따라 들어 온 딸도 방이 맘에 들어 살고 싶다고 말했고, 부모님도 다음에 친구들과 놀러 와야겠다며 만족해하셨다. 급하게 찾아보고 예약한 숙소라 어떨지 걱정했는데 모두 좋아하니 안심이 되었다. 우리는 각자 방에서 푹 쉬고 새벽에 일찍 온천욕을 하기로 했다.

새벽 첫 타임 시간에 맞춰 우리는 나란히 온천으로 갔다. 엄마는 팬데믹 이후로 대중탕도 가 본 적이 없어 내심 기대하는 눈치였다. 그건 나와 딸아이도 마찬가지였다. 코로나 전에는 찜질방을 좋아해 자주 같이 다녔는데 오랜만에 가는 목욕 나들이에 기대가 컸다.

온천탕은 입구 정면으로 네 개 있고 그 가운데 냉탕이 하나 있어 온천물을 오가며 이용할 수 있게 만들어져 있었다. 그 앞에는 족욕을 할 수 있는 미니 공간이 있었는데 아침 일찍이라 그런지 물이 담겨 있지 않아 아쉬웠다. 온천 규모가 작아 조금 실망했지만, 엄마는 물이 좋다며 흡족해하셨다. 딸은 붉은색 온천수를 신기해했는데 알고 보니 미네랄 성분이 풍부하고 보습과 진정, 아토피 피부염 치료 효과로 특허를 받은 물이었다. 피부가 예민한 우리는 물이 잘 안 맞으면 알레르기가 생기는데 이곳은 다행히 괜찮았다. 엄마는 엄청 뜨거운 해수 온천탕도 아무렇지 않게 즐겼다. 오히려 뜨거운 물이 시원하다며 한참을 탕에서 나오지 않았다. 발만 넣어보고 바로 나온 딸이 할머니의 모습이 신기한 듯 물었다.

"할머니, 안 뜨거워요?"

"이게 진짜 해수 온천이야, 가만히 있어 봐, 처음에만 조금 뜨겁지, 잠시 후면 괜찮아!"

딸과 나는 엄마를 따라 몇 번을 시도해 봤지만 뜨거운 건 뜨거운 거지 시원한 기분은 알 수 없었다. 각자의 방식으로 온천욕을 즐기고 본격적으로 목욕의 하이라이트 때밀이에 돌입했다. 몸이 불어서인지 때가 술술 밀렸다. 그런데 엄마는 다짜고짜 내 등을 막 밀기 시작했다. 하지 말라고 해도 계속 밀었다. 엄마 등보다 두 배 이상은 큰 내 등을 왜 이렇게 바득바득 밀어주는 걸까? 한동안 밀던 손을 멈추고 거친 숨을 몰아쉬던 엄마는 내 등도 좀 밀어달라며 돌아앉았다. '그냥 해달라고 하면 되지. 딸한테 등 밀어달라고 말하기가 그렇게 어렵나?' 그러고는 엄마 등을 보는데 생각보다 너무 작았다. 엄마 등이 언제 이렇게 작아졌지? 만져볼수록 진짜 살도 없고 너무 약해 보였다. 내가 어릴 적 엄마 등은 세상에서 제일 컸는데. 눈물이 자꾸 차올라 밀 것도 없는 등을 나는 계속 밀었다. 엄마는 힘들다고 그만하라며 너도 딸에게 해주라고 했다. 딸은 그 말을 듣자마자 기겁하며 벌써 저만치 도망가고 있었다. 우리는 그렇게 한 시간 반을 넘도록 뜨거운 열기에도 더운 줄 모르고 온천을 즐겼다.

온천을 마치고 나니 몸이 가벼워지는 듯한 기분이 들었다. 피부도 보들보들 부드러워서 기분이 좋아졌다. 우리는 조식을 먹고 호텔 둘레길을 산책했다. 바다가 한눈에 보이고 하늘은 구름 한 점 없이 맑아 바다와 하늘 사이를 걷는 기분이었다. 온천을 하며 뜨거움을 온몸으로 느끼고 와서 그런지 살랑이는 여름 바람에도 시원했다.

"진주야, 온천을 해서 그런지 아프던 곳이 하나도 안 아프네."
"에이, 설마 온천 한 번 했다고 안 아플까!"

엄마는 그냥 하는 말이 아니라며 보고 싶은 딸을 봐서 하나도 안 아프다고 하셔서 내심 미안하면서도 뿌듯했다.

우리가 강원도에서 이틀을 머무는 동안 전국적으로 폭염경보가 문자로 연신 울려댔다. 시원한 곳으로 피서를 가도 좋지만, 여름보다 더 뜨거운 열기 속으로 떠나는 여행은 특별했다. 우리는 누가 뭐라 해도 온천은 여름에 해야 제맛이라며 웃었다. 다음에 또 어디로 갈지 알 수 없지만, 장소가 어디든 무슨 상관일까. 사랑하는 가족과 함께라면 어디든 최고의 피서지다. 엄마, 아빠, 딸이 함께 즐긴 온천여행 이 시간이 오래 기억에 남을 듯하다.

"지금도 너무 예쁜 우리 엄마! 우리 또 여행 가자."

무릇 천지 간에 의미가 없는 것은 없나니

한박

멍청비용이라는 말에 꽂혔다. 네이버 시사상식 사전에 의하면 멍청비용은 개인적인 부주의로 발생한, 의도하지 않게 지불한 비용이다. 요즘 쇼핑해야 할 때마다 그 단어를 떠올렸다. 활활 타오르는 눈빛으로 당장 살 것 같았던 물건도 '멍청'이라는 말이 떠올라 도로 내려놓기도 하고 꼭 필요해서 샀으면서도 혹시 '멍청'스러운 충동구매는 아니었는지 재고한다. 집을 둘러보다가 몇 년 전에 사두고 별반 사용하지 않은 물건을 발견하면 나야말로 '멍청'했었노라 고백하며 한탄한다. 결혼 생활 18년 동안 분별없이 사 모으거나 흩어버린 '멍청비용'이 너무 많아 우울하다. 가정형편이 별반 나아지지 않은 것이 모두 그 멍청비용 때문인 것 같다. 살면서 골몰했던 모든 일들은 소비를 불러일으켰다. 그때는 간절해서 쓴 돈이었건만 한참의 시간이 지나고 바라보니 헛되고 헛되다. 그야말로 무쓸모의 향연이다. 내가 했던 선택이 후회스럽다. 나는 왜 그랬을까?

더 이상 꽂을 데도 없건만 책이 또 도착하였다. 모두 내 책이다. 요즘은 책이 멍청비용인 것 같다. 꼭 읽어야 하는 책이 아닌데 미래를 담보로, 그러니까 읽을 것 같아서 사는 경우도 허다하기 때문이다. 책과 함께 파는 굿즈를 갖고 싶어 살 때도 많았다. 책들은 간택 받지 못하고 독수공방하는 궁인이나 된 듯 서가 한 편을 오롯이 지킨다. 한 번도 열리지 못한 채 하얗던 책등이 노랗게 물든다. 오늘 그런 책들을 물끄러미 보고 있자니 아, 또 떠오른다. 멍청비용.

교습소를 다시 시작한 지 몇 달 되었다. 10년 전에 사용했던 자료들을 새 교습소로 옮겼어야 했는데 차일피일 미루다가 남편이 베란다 청소를 시작하는 바람에 우르르 쏟아져 나왔다. 구석에 방치됐던 상자는 고대 비법서라도 되는 것처럼 낡고 으스스한 몰골로 인사를 건넸다. 후후 불어 날린 먼지 아래에는 '박OO 자료', '강의 자료', '학원 자료'라는 글씨가 명백히 나의 필체로 적혀 있었다. '언젠가 반드시 사용할'이라는 다짐이 못 박혀 있었지만 나는 이런 게 있었는지 잊어버렸다. 무심했다.

진작 버렸어야 했다. 그러나 교육철학과 직업정신으로 밤늦도록 학생 글을 봐주던 20대의 내가 고스란히 묻어있고, 어린 남매를 키우며 좌충우돌 이어가던 30대의 나도 거기에 있었기에 버리지 못했다. 나의 분투와 노력까지 함께 버려지는 것 같아서 마지막까지 보류했다. 열심히 모았던 자료와 책들을 우르르 재활용장에 쏟아 넣으면서 아, 저 때 덜 욕심부렸으면, 그 돈을 아꼈으면 지금쯤 더 나은 삶을 살고 있지 않을까 하는, 전혀 인과관계가 없어 보이는 탄식을 내뱉었다. 더 버티지 못하고 문을 닫고 말았던 나의 논술 공부방도 '멍청비용'의 최고봉인 것처럼 느껴졌다. 그때 다른 데 한눈팔지 말고 진득하니 운영할걸. 후회해도 소용없었다.

낡은 상가에 교습소를 얻은 이유는 보증금과 월세 때문이었다. 본래 가지고 있는 돈이 적어서 욕심부리지 말고 시작하자 생각했다. 열악한 건 사실이었다. 입주했을 때는 겨울이라 몰랐는데 여름이 되니 충격적인 손님이 찾아왔다. 학원으로 들어서는데 내 손가락 두 개만 한 바퀴벌레가 여기저기서 목격됐다. 살아있는 것을 잡기는커녕 죽은 것을 치우지도 못하는 나약한 나는 극심한 공포로 덜덜 떨었다. 남편이 달려와 처리한 후에도 출근 때마다 사체를 마주해야 했다. 옆의 학원은 괜찮다는데 왜 우리

학원에만 바퀴가 들어오는지 도무지 이해가 안 됐다. 아무래도 1층 슈퍼가 리모델링을 하면서 그 안에 살던 애들이 소리에 놀라 위로 피신한 것 같았다. 하필 우리 학원엔 수전이 있었다. 며칠을 골몰한 끝에 원인이 그곳이라는 걸 알게 됐고 남편이 수전을 막아버리고 나서야 커다란 먹바퀴들의 출현이 줄어들었다. 그런데 최근 들어 새끼 바퀴로 추정되는 작은 벌레가 또 배를 뒤집고 죽어있는 게 발견됐다. 진짜 바퀴벌레 새끼인지는 알 수 없었다. 이전에 만난 먹바퀴의 잔상 때문에 보드마카 뚜껑도 바퀴로 보일 지경이었다. 더듬이가 몸보다 더 긴 걸로 보아 그놈들의 새끼가 분명했다. 기어이 나는 벌레 퇴치 회사의 전화번호를 누르고 말았다.

9만 원이랬다. 거의 수입이 없는 내게는 큰돈이었지만 소중한 공간이 벌레 때문에(혹은 의연하게 대처하지 못하는 나의 마음 때문에) 엉망이 되어 버려서 다른 건 재고 따지고 할 수가 없었다. 예전처럼 아이들로 꽉 채워질 교실을 기대하면서 책도 읽고 글도 쓰며 보내리라 야심 차게 결심했는데 나의 소중한 공간이 바퀴벌레 출현으로 빨리 도망치고 싶은 곳이 되어버리다니 울고 싶었다.

제충기사는 두툼한 주사기와 함께 도착했다. 그는 들어와서 둘러보더니 조끼 주머니에서 주사기를 꺼내 이곳저곳에 약을 놓기 시작했다. 바퀴에게만 효과가 있는 약이며 따뜻하고 습한 곳을 좋아하는 습성을 감안해 커피포트, 전자레인지, 커피머신, 전기 콘센트 같은 데다 부드러운 고형의 약을 짰다. 사람에겐 안전하냐고 묻자 다른 어떤 것에도 안전하고 바퀴벌레만 죽인다고 상세히 설명해 주었다. 도포를 마친 아저씨는 예의 그 조끼에 다시 주사기를 찔러 넣고 계약서를 내밀었다. 적는 동안 그가 카드를 결제하였다. 아저씨가 떠난 후에도 그의 말이 계속 맴돌았다.

"여기는 학원이라서 바퀴가 살만한 환경이 못됩니다. 말씀하신 대로 이동한 바퀴가 새끼를 낳았을 가능성이 없지는 않지만 그랬어도 교습소 안은 먹을 게 없어서 거의 죽습니다. 살아 있어도 도포된 약을 먹고 가서 곧 죽을 거고요. 하지만 한 달 안에 나온다면 연락을 주세요. 다시 약을 놓으러 오겠습니다. 바퀴벌레의 서식지라는 흔적이 전혀 없으므로 아마 안심하셔도 될 것 같습니다."

그런데도 나는 쉽게 출입구 문을 열지 못했다. 학원 앞에 도착해서 유리문으로 우선 바닥의 동태를 살피고 서서히 진입했다. 그 약을 먹고 죽어있을 벌레 사체와 의연하게 마주칠 자신이 없어서였다. 하지만 며칠 동안 바퀴도 새끼도 보이지 않았다. "바퀴 서식지가 아니에요"라던 목소리만 생각났다. 그러니까 보드마카 뚜껑만 봐도 바퀴벌레로 보이던 나의 노이로제는 아주 작은 의문의 벌레를 보고 바퀴벌레 새끼로 오인, 극심한 스트레스 속에 방충업체를 호출하였고 9만 원이라는(지금으로써는) 큰돈을 날리게 된 것이다. 이쯤에서 떠오르는 한 단어는 바로 멍청비용.

후회는 걷잡을 수 없이 번졌다. 괜한 돈을 쓰고 말았다는 생각에 밥도 안 넘어갔다. 스스로 한 일이면서 약이 올라 견딜 수가 없었다. 차라리 먹바퀴가 처음에 나왔을 때, 그 잔혹했던 공포의 열흘 동안 업체에 전화를 걸었어야 했다. 그랬다면 이렇게 후회스럽지는 않았을 것이다. 정체를 알 수 없는 작은 벌레에게 속아 거금을 썼다는 생각에 잠도 안 왔다. 나의 이런 사정을 알아챈 남편이 그래도 다행 아니냐며 위로했다. "서식지가 아니라는 게 다행 아니야?"

생각해보니 그렇다. 서식지가 아니라는 말이면 충분했다. 바퀴벌레의 소굴이자 온상지여서 대대적인 방제를 하고 매달 5만 원의 정기 관리를 받는 것이 나았을까? 아니라는데 왜 우울하며 안심하라는데 왜 짜증스러웠을까? 나는 그 비용을 지불하고 '안심'을 얻었고 내가 모르는 사이에 바퀴벌레가 내 일터를 휘젓고 다니는 게 아님을 '신뢰'하게 되었다. 그럼에도 9만 원을 '멍청비용'에 넣었으니 되려 멍청해지는 건 나 자신이 아닐까?

책도 마찬가지고 자료도 마찬가지다. 그동안 산 책은 언젠가 읽으면 그만이다. 독서 모임을 월에 서너 개씩 하고 있으니 마음만 먹으면 목록에 넣어 언제든지 읽을 수 있다. 그 책들이 내게 주었던 기쁨들은 실로 엄청났다. 오래된 자료도 그랬다. 당시 닳도록 공부했던 교재들이다. 써머리 하나, 작은 낙서까지도 보물이었다. 교습소를 쉬어 오랫동안 방치됐다손 치더라도 그동안 나는 또 다른 경험치들을 쌓았으니 인생 전반으로선 이득이다. 무엇을 기준으로 삼느냐에 따라 소비의 의미는 변한다. 부정의 이미지는 쌓을수록 손해다. 나쓰메 소세키의 『나는 고양이로소이다』에서 주인공 고양이는 이렇게 말했다.

"무릇 천지간에 알 수 없는 것은 무척 많지만, 의미를 붙여서 의미 없는 것은 하나도 없다."

합리적인 소비는 꼭 필요하다. 그걸 알면서도 우리는 분별없는 소비로 후회하거나 인생 전반을 흔든 경험을 하고 만다. 그것이 멍청비용이라는 말이 생겨난 이유다. 나 역시 멍청하다는 말에 나의 모든 행위를 가두고 탓하며 우울해하고 있었다. 멍청비용이라는 말에 빠져서 필요 이상으로 자책하고 있었다.

그러니까 단어 때문이다. 그 지독한 의미 부여 때문이다. 후회라는 이름으로 싹싹 지워지는 메모리라면 얼마나 좋겠는가. 선택이 틀렸을지언정 그래도 분명 하나 이상 배운 게 있다. 사람은 실패로 종종 배움을 얻으니까. 지나간 나를 원망하고 비웃을 게 아니라 당시에는 간절했던 필요와 소망들을 이해해 보면 어떨까? 욕망의 지나친 발현과 무분별한 소비로 경제 관념을 상실한 세태를 지적하기 위해 그런 단어가 유행 중이겠지만 실패의 경험이 모두 쓸모없는 것은 아닐테니 그 값은 멍청비용이 아니라 실수비용 정도로 생각해주면 안될까? 경험치증가비용도 좋고. 천지 간에 의미 없는 경험은 또 없으니까.

한박사전 : '경험치증가비용'이란 개인의 부주의로 인한 비용이 증가했으나 지나고보니 그래도 배운 것이 있었음을 위로하는 말. 멍청비용의 순화 표현으로 추천한다.

기억 속으로

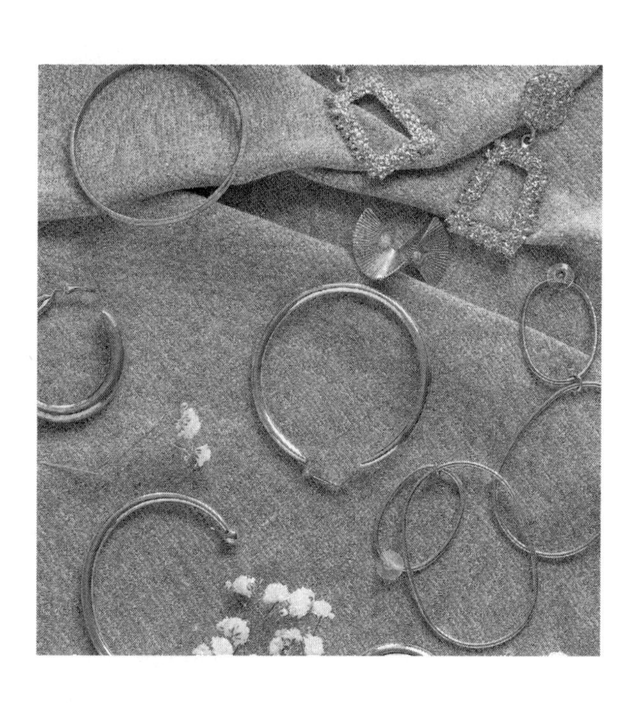

귀걸이가 하고 싶어서

글짓는앤

1990년대 S.E.S와 함께 걸그룹 양대 산맥을 이룬 핑클은 밀레니엄으로 떠들썩하던 2000년, 정규 3집 <NOW>로 화려하게 컴백했다. 당시 고등학생이던 나는 친구들과 함께 음악방송에서 핑클의 컴백을 지켜보았다. 사랑스러운 윙크를 날리며 영원한 사랑을 약속했던 핑클은 이전과는 전혀 다른 콘셉트로 멋진 슈트 자락을 휘날리며 걸크러시 매력을 발산했다. 강렬한 사운드와 파워풀해진 안무에 우리는 어깨를 들썩이며 중독성 있는 후렴구를 열심히 따라 불렀다.

came in to my life (ye) make me fly again (ye)
늘 바라왔던 상상처럼 (love out)

always be with you (ye) are the one for me (ye)
내게 눈이 먼 것처럼 (love out)

하지만 우리 시선을 사로잡은 것은 바람에 펄럭이는 슈트 자락도 아니요, 신나는 노래와 멋진 춤도 아니었다. 바로 그녀들의 몸이 움직일 때마다 조명 빛에 반짝이며 달랑거리는 은색 링 귀걸이였다. 90년대 여자 연예인들은 내기라도 하듯 큰 사이즈의 링 귀걸이를 하고 나타났다. 만원 버스를 탔는데 옆 사람이 커다란 링 귀걸이가 버스 손잡이인 줄 알고 잡아당겨 귀가 찢어졌다는 믿거나 말거나 한 이야기도 들려왔다. 그러거나 말거나 핑클 무대를 볼 때마다 빛나는 링 귀걸이가 우릴 유혹했고 무슨 일이 있어도 저걸 꼭 하고 말리라 다짐했다.

귀를 뚫게 되면 구멍이 완전히 아물 때까지는 금이나 은 귀걸이를 하고 있어야 덧나지 않는다. 하지만 복장 규제 엄격하기로 소문난 우리 학교에서 귀걸이를 하고 다닌다는 것은 대놓고 '선생님! 제발 저 좀 혼내주세요' 하고 광고하는 거나 마찬가지였다. 눈에 잘 띄지 않는 작은 귀걸이라도 등교 시간에 교문 앞을 지키고 서 있는 선도부에 1차로 걸릴 것이고, 2차로 학생부 선생님에게 끌려가 몽둥이찜질을 당하게 될 것이었다. 아! 귀도 뚫고 귀걸이도 할 수 있는 방법은 정녕 없단 말인가?

귀걸이를 너무도 하고 싶었던 우리는 일단 겨울방학을 기다려 보기로 했다. 방학하면 우선 2주 정도는 쉰 다음 보충수업을 시작하고 방학 동안에는 복장 단속이 느슨하니 어떻게든 요령껏 버텨보자는 심산이었다. 당장에라도 핑클 언니들처럼 링 귀걸이를 달고 멋들어지게 머리카락을 휘날리며 'came in to my life ye!'를 외치고 싶었지만 두 달만 꾹 참고 기다리기로 했다.

길고 긴 기다림 끝에 드디어 겨울방학이 돌아왔다. 방학식이 끝나기 무섭게 친구들과 시내로 달려가 까마귀같이 시커먼 교복은 책가방에 대충 쑤셔 넣고 주얼리 가게로 달려갔다. 막상 귀를 뚫으려고 하자 겁이 났다. 귀 잘못 뚫으면 신경을 건드려서 실명이 될 수도 있다더라', '귀 뚫으러 갔던 사람이 갑자기 눈앞이 캄캄해져서 정전된 거냐고 물어봤다더라'라는 괴담이 은근히 신경 쓰였다. 간 큰 미희는 내 주변에 그런 사람 단 한 명도 못 봤으니 말도 안 되는 소리 하지 말고 빨리 앉기나 하라며 내 팔을 끌어당겼다.

"학생! 움직이지 마세요. 살짝 따끔할 수도 있어요."

무심한 표정의 직원은 몇 초도 안 되는 사이에 양쪽 귀를 뚫어주고는 기계적으로 주의사항을 읊어주었다.

"완전히 아물기 전까지는 귀걸이 계속 착용해 주시고요. 당분간 소독도 매일 하고 연고도 꼭 발라주세요. 귀 아물기 전에 귀걸이 빼시면 다시 막힐 수도 있는 거 아시죠?"

양쪽 귀에 박혀 앙증맞게 반짝이는 귀걸이를 보자 친구들과 나는 흥분을 감추지 못했다. 서로 너무 예쁘다며 호들갑을 떨었다. 직원이 말한 주의사항 따위는 귀에 들어오지 않았다.

"여자는 귀걸이 하면 1.5배는 더 예뻐진다는데 진짜 그런가 봐. 나 좀 더 예뻐진 것 같지 않냐? 우리 빨리 링 귀걸이 사러 가자."

귀가 아물려면 한 달 가까이 기다려야 하는데도 우리는 귀 뚫은 기념으로 뭐라도 하나 사야 한다며 길거리 좌판으로 우르르 몰려갔다. 마음에 드는 귀걸이가 너무 많았다. 이것도 귀에 대보고 저것도 대보고. 당분간 고이 모셔두기만 해야 할 링 귀걸이를 하나씩 사 들고 날아갈 듯한 기분으로 집에 왔다. 새로 산 귀걸이에 어울릴만한 옷들까지 코디해 보며 거울 앞에서 패션쇼를 했다. 양쪽 귀에 매달려 별처럼 아름답게 빛날 귀걸이를 상상하며 잠이 들었다.

귀 뚫은 곳이 덧나거나 막히면 어쩌나 매일매일 조심스러웠다. 머리 감는 횟수도 줄이고 혹여나 귀에 물이 닿을까 세심하게 신경 쓰며 소독과 연고 바르기도 게을리하지 않았다. 귀찮아서 상처에 후시딘도 안 바르던 내가 링 귀걸이를 해보겠다고 양쪽 귀에 온갖 정성을 쏟고 있었다. 다행히 내 귀는 염증 한번 나지 않고 잘 아물어갔다. 아침마다 거울 앞에 서서 시내에서 산 링 귀걸이를 대보며 흐뭇한 미소를 지었다.

'이제 귀걸이 할 날도 얼마 남지 않았구나'

이 주간의 짧은 휴식이 끝나고 겨울방학 보충수업이 시작되었다. 머리는 무조건 묶어야 하는 학교 규정 때문에 친구들과 나는 행여 귀걸이가 보일세라 최대한 느슨하게 머리를 묶고 귀까지 목도리를 칭칭 감고 등교했다. 학교 안에서만큼은 무슨 일이 있어도 목도리는 절대 풀어놓지 않았다.

'이제 일주일, 딱 일주일만 지나면 귀도 다 아물 테고 링 귀걸이도 할 수 있어. 제발, 일주일만 잘 버텨보자'

하루하루 외줄 타기 하듯 아슬아슬했던 일주일이 무사히 넘어갔다. 그렇게 간절히 염원했건만 마지막 일주일을 남겨놓고 나와 미희는 담임한테 딱 걸리고 말았다. 담임은 검정 테이프로 칭칭 감은 매를 손에 들고 무섭게 우리를 노려보았다.

"너 이 자식들, 누가 이딴 귀걸이하고 다니라 그랬어! 당장 안 빼! 공부도 못 하는 것들이 하지 말라는 짓만 골라서 한다니까. 이딴 거 할 시간에 수학 문제 하나라도 더 풀어, 멍청한 놈들! 이건 압수야!"

선생님은 자존심을 무너뜨리는 독한 말들을 쏟아내며 우리 손바닥에도 마음에도 시뻘건 상흔을 남겼다. 벌레를 쳐다보는 듯한 멸시 어린 눈빛과 쯧쯧거림, 기어코 머리통을 한 대 갈기며 끝까지 모멸감을 주던 선생님의 행동은 지금 생각해도 열이 뻗친다. 요즘 시대에는 상상도 할 수 없는 폭력들이 당시에는 학생들을 지도한다는 명목하에 공공연하게 행해졌다.

그때는 매를 맞으면서도 온통 뺏긴 귀걸이 생각뿐이었다. 너무 분하고 억울했다. 귀걸이는 쓰레기통에 버려질 것이고, 미처 다 아물지 못한 두 귀는 이제 막혀버릴 거라는 데까지 생각이 미치자 눈물이 쏟아져 내렸다. 화가 나서 견딜 수 없었던 우리는 며칠 후에 담임 실내화 한 짝을 몰래 쓰레기 소각장에 던져버리는 소심한 복수로 귀걸이 사건을 털어냈다.

귀걸이를 넣다 뺐다 하는 동안 결국 뚫었던 구멍은 꽉 막혀버렸다. 링 귀걸이를 하고 시내를 활보하고 싶었던 꿈도 산산조각이 났다. 나와 미희만 빼고 다른 두 친구는 귀가 빨리 아물어 링 귀걸이를 할 수 있게 되었다. 하지만 친구와의 의리를 지켜야 한다며 적어도 나와 미희 앞에서는 링 귀걸이를 하지 않았다. 그들 딴에는 우정을 지키기 위한 최소한의 노력은 보여준 셈이다.

고3 수능이 끝남과 동시에 또다시 귀를 뚫었지만 그땐 링 귀걸이를 하고 싶은 간절함이 사그라든 후였다. 처음으로 샀던 서랍 속 링 귀걸이는 귓구멍에 단 한 번도 매달려 보지 못하고 귓불에 대었다 뗐다 만 반복하다 쓰레기통으로 들어갔다. 칙칙하게 변색이 된 채 어느 왕조의 오래된 유물처럼 나의 역사 속으로 사라져 버렸다.

세미 힙합 바지를 입고, 황토색 워커를 신고 링 귀걸이까지 하나 딱 해주면 나도 이효리처럼 멋진 패셔니스타가 될 수 있을 것 같았는데. 지금은 공짜로 줘도 안 할 링 귀걸이를 그때는 그거 하나 해보겠다고 왜 그렇게 기를 썼는지 모르겠다. 호박에 줄 긋는다고 수박이 되는 건 아니지만 그때의 나는 귀걸이를 통해서라도 1.5배 예뻐진 수박이 되고 싶었다. 이제 와서 생각하면 예쁜 수박 한 번 되어 보겠다고 없는 용돈 쪼개서 패션 아이템들을 사고 선생님 눈길을 피해 어떻게든 해보려고 용썼던 모습도 귀엽기만 하다. 열여덟 청춘은 해보고 싶은 것도 많고, 하지 말라는 것은 어떻게든 하고 싶어 안달이 나는 나이였나 보다. 어설픈 어른 흉내를 내면서까지 성숙해지고 싶었던 철부지 여고생 시절도 지나고 보니 그 또한 추억인가 싶다.

당시에는 너무도 속상하고 쓰라렸던 일이 세월의 흐름 속에서 추억이란 이름으로 미화되는 걸 보면 시간의 힘이란 실로 대단하다. 지금도 그때를 기억하며 이렇게 실실 웃고 있지 않은가? 그깟 귀걸이 하나 했다고 '멍청한 것들'이라는 말도 모자라 손바닥이 빨개질 때까지 맞았던 아픈 기억보다 친구들과 함께한 즐거운 기억이 훨씬 더 큰 걸 보면 기억은 지극히 불완전한 장치가 아닐까 하는 생각이 든다. 하지만 그 덕분에 힘들고 아팠던 것보다 웃으며 추억할 수 있는 삶의 기억들이 많아지는 것도 뭐 나쁘지만은 않다. 지나온 시간을 모두 담아두는 데 한계가 있다면 슬픔보다는 기쁨을, 불행보다는 행복한 기억을 안고 사는 게 훨씬 더 현명할지 모른다.

한때 우리의 워너비 스타였던 효리 언니도 마흔을 넘긴 중년이 되었다. 멋진 슈트를 입고 긴 생머리를 휘날리며 은빛 링 귀걸이를 달랑거리던 그녀도 나처럼 나이를 먹어가고 있다. 물론 그녀는 여전히 아름답다. 추억 안에서만큼은 언제나 반짝반짝 빛나고 있을 나의 청춘스타 이효리.

'댄스 가수 유랑단'이라는 이름으로 텔레비전에 나와 노래하고 춤추는 그녀의 모습을 볼 때마다 친구들과 함께한 링 귀걸이의 추억이 떠오른다. 네 명의 핑클 멤버를 하나씩 맡아(나도 이효리를 하고 싶었지만 우리 중 가장 예쁜 미희한테 외모로 밀렸다. 아, 내가 조금만 더 예뻤더라면…) <NOW>를 열창하며 어설픈 군무를 추던 기억까지 더해져 한바탕 웃고 말았다. 그래, 내게도 연둣빛 사과처럼 풋풋했던 여고 시절이 있었지.

그때를 추억하며 핑클의 <NOW>를 다시 들어본다.

I know you miss me I'm crazy now
뜨거운 너의 품에 쉴 수 있게 꿈꿔왔던 satisfaction
모든 내 사랑을 다 주고 싶은 나

장국영, 매염방 그리고 우리

골방지기

1990년 전후로 난 '홍콩'에 빠져 있었다. 막 생기기 시작할 무렵의 비디오 대여점에는 홍콩 드라마와 영화가 가득했다. 문구점 책받침은 거의 다 홍콩 배우들이었고 음반 가게에서도 광둥어 음반을 흔하게 볼 수 있었다. 그때는 홍콩 영화가 세계적으로 찬란하게 빛나던 시절이어서 많은 배우들이 코미디뿐만 아니라 액션과 멜로까지 섭렵하고 가수로도 왕성히 활동하고 있었다. 그중에서도 내 눈에 가장 두드러진 남자는 장국영이요, 여자는 매염방이었다. 슬프게도 가장 친한 친구였던 두 사람은 2003년 같은 해에 세상을 떠났다. 그리고 다음 해 90년대를 함께 했던 내 친구 소영이가 죽었다.

난 둘의 영화를 항상 소영이와 함께 봤다. 우리가 맨 처음 봤던 영화가 <연분(緣份, 1984)>이었다. 사실 주인공은 장국영과 앳된 모습의 장만옥이었고 매염방은 사랑하는 남자의 여사친인 서브 여주인공이었다. 영화를 보고 나서 우리는 장국영과 매염방이 정말 사귀는지 왈가왈부했다. 결국에는 깔깔 웃으면서 끝났지만.

그 후에 소영이는 장만옥 사진, 나는 매염방 사진을 모으기 시작했다. 그 시절 우리 방 벽에는 그녀들의 사진이 붙었고 우리의 BGM은 매염방의 노래였다. 팬시점에서 상대방이 좋아하는 배우의 새로 나온 사진을 발견하면 무조건 샀다. 그런 다음 장만옥은 소영에게, 매염방은 내게 왔다.

고등학생이 되었을 때 잡지에서 영화 <연지구(胭脂扣, Rouge, 1987)>에 대한 소개를 보았다. 매염방과 장국영이 주연이고 1920년대를 배경으로 하고 있었다. 우리는 이 영화를 빌리려고 자주 가던 동네 비디오 대여점에 갔는데 문제가 생겼다. 이게 19금 비디오라는 것을 모르고 있었다. 당시 비디오테이프는 요즘처럼 나이로 구분하는 게 아니라 색 띠를 둘러서 관람 가능 나이를 표시했었다. 노란색은 전체 관람가, 초록색은 청소년 관람가, 빨간색은 청소년 관람 불가를 의미했다. 청소년 관람 불가라고는 했지만 요즘 등급 기준과 비교해봤을 때 15세 관람가 정도의 영화도 많았다.

동네 비디오 대여점은 젊은 부부가 운영하고 있었다. 우리처럼 홍콩 영화 팬이었던 주인아줌마는 자신이 보고 문제없다 싶었던 것을 빌려주고는 했지만, 영화를 잘 보지 않던 아저씨는 원칙대로 했다. 그날 아저씨가 있었다. 다음날도 그랬다. 소영이와 나는 일주일 동안 문밖에서 오늘 가게를 지키는 사람이 누구인지 확인부터 했다. 일주일째 되던 날 드디어 아줌마를 만났고 역시 매염방 팬이었던 아줌마는 비디오 배급사에서 준 포스터까지 나눠줬다.

영화는 부잣집의 열두 번째 아들인 나약한 도련님(장국영 분)과 그를 사랑한 기생 연화(매염방 분)의 슬픈 사랑 이야기다. 마지막 장면에서 슬픈 미소를 지으며 떠나는 귀신 연화와 나약해서 차마 죽지 못한 채 늙어버린 도련님의 모습에 우리는 한참을 울었다. 이후에도 새로운 홍콩 영화가 나오면 같이 극장을 가서 보기도 하고 빨간 띠라면 아줌마가 있을 때 얼른 가서 비디오테이프를 빌려왔다. 그때 중국어를 공부했어야 하는데. 나중에 소영이랑 우스갯소리로 그런 말을 했다. 왜 우리는 자막만 봤을까?

그러다가 소영이는 장학우에게 빠졌고 나는 양조위의 팬이 되었다. 어느 날 소영이가 양조위와 매염방이 함께 부른 의천도룡기 86의 주제가를 테이프에 녹음해서 줬다. TV 소리를 녹음하면서 잡음이 안 들어가게 조심하느라 몇 번씩 다시 녹음했다며 너스레를 떨었다. 나는 버스로 30분은 가야 했던 시내 타워레코드까지 가서 새로 나온 장학우의 음반을 사다 줬다. 몇 주 전부터 가게에 전화해가면서 갖다 달라고 요구한 끝에 발매한 당일 샀다면서 으스댔다. 서울에서 콘서트 해적판 비디오를 구해다 같이 보면서 신나서 떼창을 하기도 했다. 물론, 가사는 소리 나는 대로 한글로 받아 적어 외웠다. 나중에 보니 다 틀린 가사였지만. 우리는 홍콩으로 콘서트를 보러 가자며 돈을 모았다. 처음에는 장학우냐 매염방이냐 장국영이냐 한참 설전을 벌였지만, 결국은 사다리 타기로 결정했다. 장국영이 나왔다. 매염방과 장학우가 초대 가수일 수도 있다는 희망에 우리는 들떴다. 그런데 그 돈을 다 모으기 전에 장국영이 죽었다. 같은 해 연말에 매염방도 죽었다. 이듬해 초여름, 소영이마저 세상을 떠났다.

1990년대 사춘기 시절 나는 홍콩 배우들과 소영이와 함께였다. 고등학교가 달라지면서 자주 못 만났지만, 우리에게는 언제나 이야깃거리가 끊이지 않았다. 몇 주 혹은 몇 달 만에 만나도 새로 개봉한 영화 이야기, 좋아하던 배우들의 근황으로(전화로 이미 충분히 이야기했음에도) 수다가 시작되니 만남의 공백이 전혀 느껴지지 않았다. 그리고 나면 장래에 대한 고민, 현실에 대한 걱정 등 어른이 되어가면서 생기는 불안들을 나누면서 서로의 어깨에 기댔다.

얼마 전 양조위의 인터뷰를 보다가 문득 소영이가 녹음해줬던 드라마 OST가 생각났다. 혹시나 하며 유튜브를 찾아봤더니 세상에! 그 무협물의 오프닝 영상이 유튜브에 떡하니 있었다. 소영이가 정성스럽게 테이프에 녹음해서 준 바로 그 장면이었다. 영상을 보고 있자니 소영이가 보고 싶다. 그 시절 소영이와 함께 했던 것들도. 무대 위에서 노래하는 매염방과 장국영도 보고 싶었다. 인심 좋던 비디오 대여점 아줌마는 무얼 하고 있을까? 학교 앞 그 팬시점은 여전할까? 소영이는 하늘에서도 여전히 장학우의 노래를 듣고 있을까? 양조위의 나이 든 모습을 보면 뭐라고 할까? 소영이가 있었다면 같이 <샹치>를 보면서 아직도 멋진 양조위에게 환호할 텐데.

숱한 중국 노래와 드라마를 보면서 머릿속에 남아있는 중국어가 몇 개 있다. 我愛你(워아이니), 对不起(뚜이부치), 你好(니하오), 谢谢(쉐쉐) 그리고 我想你(워샹니). 오늘따라 이 한마디가 사무친다

我想你。그리워요.

좌충우돌 캠핑

진주

어린 시절 캠핑을 자주 다녔다. 여름이 되면 가까운 산과 강을 찾아 그늘 밑에 텐트를 치고 맛있는 음식을 먹었다. 아빠는 투명한 어항에 떡밥을 만들어 흐르는 강물에 놓고 고기를 잡아 매운탕을 끓여주셨는데 칼칼하고 매운맛이 좋았다. 나는 낚시하는 아빠 옆에서 달팽이를 잡으며 놀았다.

외가 친척들이 모이는 날이면 가족마다 텐트를 가져와 타프를 쳤는데 마치 유목민 마을 같았다. 이모가 여섯이나 되니 어른, 아이 모두 모이면 서른 명 가까이 되었는데 우리는 함께 모여 캠핑했다. 여름마다 친척들이 모이는 연중행사였다. 아이들은 일 년 만에 만나도 전혀 어색하지 않았고 물놀이와 낚시를 하며 어울려 놀았다. 어른들만큼은 아니어도 낚시를 잘해 너도나도 일등할 거라고 서로 신경전을 벌이기도 했다. 어른들은 화투를 치거나 음식을 만들어 먹었다. 어느새 이웃 어른들도 합세해 캠핑장은 왁자지껄한 소리와 음식 냄새로 가득 찼다. 화려하고 멋진 여행이 부럽지 않던 시절이었다.

나는 결혼 전 캠핑지에서 남편을 처음 친척들에게 인사시켰는데 긴장하고, 어색해했지만 차츰 적응하며 즐겼다. 야외로 나와 식구들과 맛있는 음식을 나눠 먹는 사이 이야기가 오가며 자연스럽게 친해졌다.

"나도 결혼하면 이렇게 캠핑 다니는 거야? 가족 여행이 이런 거구나! 사실 가족 여행을 다녀본 적이 없어서 몰랐는데 캠핑 되게 재밌어!"

평소 외롭다는 말을 입에 달고 사는 남편이라 일찍 결혼하기로 마음먹었던 나는 자주 여행 다니자고 약속했다. 하지만 세 살 터울로 아들, 딸을 낳고 빠듯한 남편 월급으로 살림하려니 여행은 엄두도 나지 않았다. 생활비가 모자라서 부모님께 손 벌리는 날이 많아지자 일자리를 구해야 했다.

그 당시 내가 할 수 있는 나들이는 아이들을 데리고 근처 마트에 가는 게 고작이었다. 어느 순간 아이들은 주말만 되면 자동으로 마트에 가자고 졸랐다. 아이들에게 미안했다. 이때 아들이 다섯 살, 딸이 두 살이었다. 이대로는 도저히 안 되겠다 싶어 남편에게 가까운 곳으로라도 캠핑 다녀오자고 했다. 남편은 아이들이 어려 가능하겠냐며 여러 번 물어보고 나서야 오케이 사인을 보냈다. 아이들과 캠핑 갈 수 있다니! 생각만으로도 좋았다. 그날밤부터 캠핑용품을 검색하고 주문하며 하루라도 빨리 떠나기를 꿈꿨다. 주문한 물건들이 속속 배달되고 드디어 기다리던 날이 되었다.

하지만 우리의 여행은 출발 전부터 삐걱거렸다. 차는 작은데 실어야 할 짐이 많았다. 부피가 크고 무거운 캠핑용품에 아이들 이불, 옷, 기저귀, 목욕용품까지. 남편은 이사 가냐며 짐을 줄이라고 잔소리하지, 아이들은 징징대지, 정신도 하나도 없었다. 내가 가자고 우긴 캠핑이니 화를 낼 수도 없어 꾹 참았다. 짐을 나르느라 집과 주차장을 몇 번 왕복하고 테트리스 하듯 차에다 짐을 욱여넣고 출발했다. 벌써 온몸이 힘들다고 아우성을 쳤다.

고민하며 고른 곳은 차로 삼십 분 거리에 있는 신생 캠핑장이었다. 깔끔한 사진을 보고 예약했는데 직접 가 보니 그늘은 하나도 없고 바닥은 파쇄석이라 아이들이 넘어지면 다칠 위험이 있었다. 우선 짐을 꺼내 옮겨야 했기에 아이들을 에어컨이 나오는 차에 기다리라고 하고 창문을 열어놓았다. 남편과 나는 땡볕에서 짐을 옮기기 시작했다. 우리 사이에는 침묵이 흘렀다. 짐을 옮길 때 쓰는 카트와 햇빛을 가리는 타프가 있다는 것은 뒤늦게 알았다. 무엇 하나 제대로 알아보지 않고 성급하게 준비한 나를 자책했다.

어릴 적 부모님과 했던 캠핑만 생각했던 나는 크고 작은 실수를 연발했다.

"여보, 텐트 위에 치는 거 어디 있어?"
"뭘 말하는 거야? 텐트 거기 있잖아."
"누가 그걸 몰라서 물어? 위에 덮는 플라이 말하는 거잖아!"
"아, 몰라! 산 건 그대로 들고 왔어. 거기 있는 게 다야."

남편은 어이없어하며 어디서 시킨 거냐고 물어보더니 한숨을 푹 쉬었다.

"여보, 이건 그늘막 텐트야! 여기서 어떻게 잠을 자. 비라도 내리면 다 샐 텐데. 좀 제대로 알아보고 시켰어야지."

한껏 신경이 예민해져 있던 나는 남편의 말에 짜증이 났다. 아이들을 데리고 캠핑을 준비하면서 당신은 뭘 했냐며 소리쳤다. 나의 신경질에 남편도 참지 않고 화를 터트렸다. 아이들 앞에서 큰 소리로 싸운 건 그날이 처음이었다. 그늘막 텐트라 플라이 없이 자는 것은 불가능하다는 남편의 말에 실수를 인정하고 싶지 않은 오기가 생겨 지금은 여름이라 잘 수 있다고 박박 우겼다. 일기 예보에 비가 온다는 말이 없었다며 혹시라도 비가 오면 그때 집에 가면 된다고 합리화했다. 남편은 어이없다는 듯 고개를 저으며 텐트를 마저 쳤다. 앞에 테이블과 의자를 놓고 화로까지 놓으니 그럴듯해 보였다.

땀에 절고 얼굴은 시뻘겋게 탔지만, 텐트 안으로 들어온 아이들이 우리 집 최고라며 신나 하는 모습에 마음이 조금 풀렸다. 잠시 지친 몸과 마음을 충전하기 위해 텐트에 누웠다. 남편도 아이들도 내 옆에 누웠는데 땀이 쉴 새 없이 흘렀다. 그 와중에도 아이들은 서로의 배에 발을 올리며 장난을 쳤고 깔깔댔다. 그 소리에 피식 웃음이 났다. 처음부터 완벽할 수 없지. 포기하고 인정하는 마음이 들자 여유가 조금 생겼다. 아이들을 데리고 근처 계곡을 찾아갔다. 사진으로 보았을 때는 물놀이가 가능한 계곡이었다. 하지만 더위에 바짝 말라버렸는지 개울만 흐르고 있었다. 물에 발만 담그며 무료한 시간을 보내려니 실망이 이만저만 아니었는데 신기하게도 아이들은 그만한 물에도 참방거리며 즐거워했다. 그저 주말에 마트가 아닌 야외로 나왔다는 것 자체가 신나는 모양이었다. 보고 있으니 짠하기도 하고 좋아해 주니 기쁘기도 했다.

해가 지려 하자 우리는 텐트로 돌아왔고 남편은 화로에 참나무 장작을 넣고 불을 피우고 있었다. 진짜 참숯을 피워주겠다며 열기와 씨름하는데 생각처럼 잘되지 않는지 한참을 고전했고, 숯이 만들어졌을 때는 이미 캄캄한 밤이 되었다. 남편이 드디어 고기를 구워 주겠다며 불판과 랜턴을 찾는데 아차! 랜턴이 없었다. 결정적 실수에 할 말을 잃었다. 당황한 내 표정을 보고 남편은 말없이 핸드폰 조명을 켜 고기를 굽기 시작했다. 나는 미안해서 핸드폰 불빛을 같이 비춰주었다. 고기 굽는 냄새에 아이들은 신나 깜깜한 테이블에 앉아 "고기, 고기" 노래를 불렀다. 고기가 익자마자 아이들 입에 하나씩 넣어주었다. 아이들은 입을 오물거리며 배불리 먹고는 둘이 논다고 텐트 안으로 들어갔다. 그제야 남편과 나는 의자에 앉아 남아있는 몇 점의 고기를 안주 삼아 맥주를 마셨다. 목을 타고 흐르는 쌉싸름한 알코올의 맛이 하루의 고단함을 씻겨 주었다. 눈이 마주친 우리는 서로의 모습에 웃음이 터졌다. 나름 첫 캠핑이라고 들떠 화장도 예쁘게 하고 옷도 서로 골라줬는데 나는 땀에 절어 화장은 번진지 오래고 남편은 꼬질꼬질한 모습으로 식은 고기를 먹고 있었다. 달은 또 휘영청

밝아 우리의 모습을 더 우스꽝스럽게 비춰주었다. 남편은 이런 것도 캠핑의 추억이지 하며 웃었지만 한 번이면 족하다며 끝말을 강조했다. 아이들은 피곤했는지 씻지도 않고 잠이 들었다. 남편과 나는 달빛을 안주 삼아 맥주 몇 잔을 더 마시고 이야기를 나누다 잠을 자러 갔다.

첫 캠핑은 이렇게 마무리될 줄 알았다. 하지만 그늘막 텐트에서 잠이 든 우리는 추위에 떨어야 했고, 달랑 한 개 챙겨온 이불을 넷이 덮느라 서로 부둥켜안고 선잠을 잤다. 그러다 어느새 까무룩 잠이 들었다가 차가운 물기에 퍼뜩 놀라 잠이 깼는데 그늘막 텐트에 맺혀있던 이슬이 얼굴에 뚝뚝 떨어지고 있었다. 아이들은 텐트에 비가 온다며 그마저도 재미있어해 난감했다. 아침부터 햇살은 뜨겁고 몸이 여기저기 쑤셔 대충 라면과 햇반을 먹고 서둘러 짐을 챙겨 집으로 돌아왔다. 아이들은 다음날부터 차례로 열감기와 폐렴을 앓으며 일주일간 고생했고 첫 캠핑은 그렇게 막을 내렸다.

그 후로 한동안 캠핑은 꿈꾸지 않았다. 서로 일도 바빴고 힘들었던 기억 때문에 어디를 간다는 생각조차 하지 않았다. 그런데 하루는 첫째 아이가 유치원에 다녀와서 우리 캠핑 또 언제 가냐고 물었다. 지난번에 다녀와서 아팠는데 또 가고 싶냐고 물었다. 아이는 해맑게 웃으며 엄마, 아빠와 캠핑하러 가서 고기도 구워 먹고 산도 보고 물도 보고 왔다고 자랑했더니 친구들이 좋겠다며 언제 또 가냐고 물었다는 것이다. 아이에게는 캠핑의 기억이 아빠가 텐트 치는 걸 구경하고 엄마와 물에 발 담그고 놀고 밤에는 달빛 아래 고기를 구워 먹고 다 같이 꼭 안고 잤던 기억으로 남아있었다. 나에게는 힘들고 피곤했던 첫 캠핑이 아이에게는 최고의 날이었다.

그날 저녁 아이는 아빠가 집에 오면 언제 또 캠핑 갈 수 있는지 물어보겠다고 아빠를 기다리다 잠이 들었다. 밤늦게 퇴근한 남편의 저녁을 챙겨주며 아까 아이가 했던 말을 했다. 조용히 듣고 있던 남편은 다음 캠핑은 나무 그늘이 있는 곳으로 알아보자고 말했다.

우리는 그 후로 계속 시간을 내서 캠핑하러 갔다. 이제는 텐트를 치면서 헤매는 일도 없다. 캠핑할 때마다 새로운 용품들이 생겼지만 결국 우리에게 편할 것들만 남고 정리되어 짐도 줄었다.

캠핑은 가족을 연결해주는 끈처럼 다녀올 때마다 단단하게 만드는 것 같다. 좁은 집에 있는 것보다 야외에서 탁 트인 산을 바라보는 일이 더 즐겁다는 것도 알았다. 타닥타닥 장작불 타는 소리를 들으며 불멍도 즐길 수 있고 그동안 못했던 속 이야기도 들어볼 수 있는 우리만의 시간. 각자 좋아하는 걸 즐기면서 자연과 하나로 어우러지는 시간이야말로 내가 꿈꾸던 캠핑이다.

어떤 이는 사서 고생하는 캠핑을 왜 하느냐고 물어본다. 이제는 좀 편한 여행을 즐겨도 되지 않느냐고 말하기도 한다. 캠핑은 같은 장소, 같은 시간을 함께하며 우리 가족이 만들 수 있는 이야기가 있기에 더 소중한 추억으로 남는다. 지금은 사춘기 아이들이라 비록 다 함께 가지 못할 때가 많지만 그동안 함께 한 추억이 있기에 이야깃거리는 언제든 충분하다.

나는 남편에게 언젠가 아이들이 자라 우리 둥지를 떠날 때 아이들과 함께한 시간을 추억 삼아 둘이라도 캠핑을 이어가자며 말한다. 어린 시절 부모님과 함께 한 캠핑의 기억이 지금 우리 아이들과 함께 쌓아가는 캠핑의 추억으로 이어진다. 부모님과 함께 한 캠핑이 어린 나에게 좋았던 기억으로 남았듯이 우리 아이들도 그렇게 기억하겠지. 그래서 오늘도 나는 말한다.

“우리 캠핑 가자!”

유쾌의 파도가 닿는 기분

한박

자주 쓰던 멜라민 쟁반 하나가 박살 났다. 작고 가벼워서 자주 사용하는 물건이었다. 자러 가려다가 주방을 살펴보니 씻지 않은 그릇이 하나 보였다. 그것만 씻어 엎어놓으려다가 미리 세워 둔 쟁반을 손으로 치고 말았다. 깨지는 소리는 컸고, 부서진 조각들이 무지막지하게 흩어졌다. 유리는 아니지만 다칠 만큼 뾰족해서 얼른 쓸고 닦았다. 그러면서 궁얼거렸다. 남편 말 들을 걸, 다 마른 그릇들 먼저 치우고 씻을 걸, 차라리 내일 씻을 걸, 하면서. 가뜩이나 심란해 죽겠는데 별게 다 말썽이다.

그러다 문득 쟁반 세트가 우리 집에 오게 된 날을 상기한다. 나는 작은 애가 돌이 될 무렵 집에서 부업을 시작했다. 인터넷으로 돌 답례품을 파는 일이었다. 첫 돌잔치 답례품을 저렴하게 사려고 하다가 아예 조그만 사업을 시작했다. 주변에 09년생 엄마들이 많아서 같이 알아보다가 누군가 내게 대행을 권했다. 소문을 듣고 점점 준비를 맡기는 사람이 늘어났다. 수요조사를 해보니 누군가는 컵 세트를 한다고 했고, 누구는 접시를, 어떤 이는 수건을 원한다고 했다. 그즈음 수제 비누나 욕실 시계 등도 유행이었다. 기본 8, 90개를 주문했고, 100개를 훌쩍 넘게 하겠다는 엄마들도 있었다. 1,000원만 남겨도 이윤이 10만 원 가까이 됐다. 부업의 화려한 서막이 올랐다. 육아와 경제활동을 한꺼번에 할 수 있다는 기대에 부풀었다. 나는 남편에게 300만 원을 투자받아 동대문 시장으로 갔다.

첫 구매자는 다정언니였다. 2008년도 겨울에 우리 둘은 둥그런 배를 문지르며 같이 만삭의 시기를 보냈다. 내가 답례품을 해볼까, 하고 말하자마자 "어, 나도 우리 민재 꺼 주문할게. 뭐 뭐 있어?"라며 반색했다. 언니는 시리얼 볼 2P짜리를 100개 주문했다. 개당 2,000원에 사 와서 3,000원씩 계산해 언니에게 팔았다. 포토샵으로 귀엽게 작업한 글씨와 그림을 스티커 라벨지에 박아 넣고 하나씩 떼어가며 박스에 붙였다.

- 강민재 첫 돌 2010.1.25

그때 사 놓은 이벤트 선물 중 하나가 그 멜라민 쟁반이었다. 2010년도의 돌잔치는 이벤트 선물이 꼭 있었다. 그리고 사회자가 돌잔치를 진행한다. 촛불도 끄고(물론 아기가 직접 끄지는 못하지만) 돌잡이도 한다(그대로 크지 않지만). '부모님 한 말씀' 같은 일련의 순서들을 진행하다가 행운권 추첨을 한다. 행사장 밖에 비치된 함에 부여된 번호를 넣으면 추첨을 통해 선물을 주는 것이다. 그래서 돌잔치를 준비하는 엄마들은 돌 답례품 이외에도 이벤트 선물을 서너 개 따로 준비한다. 나는 사이트에 이벤트 상품 코너를 만들고, 판매목록에 개당 단가는 비싸지만, 가정에서 유용하게 쓰일 법한 것들을 비치했다. 한동안은 뚝배기 세트가 유행이었고 그 후엔 쟁반 세트, 강화유리 과일 접시, 앞 접시 4p 세트가 줄지어 나갔다. 하지만 1, 2년 지나자 라면이나 상품권처럼 무난한 것들로 이벤트 선물이 대체되었다. 그러다 보니 이벤트 상품 게시판은 자리만 차지하고 있었다. 하긴, 나도 돌잔치에 가서 뚝배기 받으면, 집에 있는데 또 받았다고 투덜댔는데 뭐. 안 팔리던 남은 상품들을 나눠주고 멜라민 쟁반 한 세트는 뜯어 내가 사용했다.

나는 3년을 꽉 채워 돌 답례품 장사를 했다. 그사이 가입 회원이 3천 명이 넘었고 전국 각지로 물건들이 배송되었다. 소소하게 시작해 계속 소소하게 진행했지만, 신상품 연구도 하고 덤도 챙겨주면서 인지도를 쌓았다. 내가 디자인한 서비스 제품들이 인기였다(100개 이상 구매 시 대두 스탠딩 및 돌잔치 포스터 무료 증정). 발품을 팔아 수건 공장, 그릇 도매창고, 잡곡 도매점 등을 찾아내 거래처로 만들었다. 물건을 떼어 올 땐 택배 대신 일일이 방문했으므로 이윤이 더 높아졌다. 당당하지 못할 이유 전혀 없지만 이상하게 주눅 들어 있던 '집사람' 대신 집에서 일하는 '워킹맘'이 되었다. '0'이 많이 붙어 내 통장으로 들어오던 그 돈들, 먹고 싶은 것과 갖고 싶었던 것을 성큼성큼 계산하던 그 희열은 겪어보지 않으면 모를 것이다. 잠이 부족해 매일 토끼 눈에 하루 종일 컴퓨터 앞에서 살다시피 하느라 굽어진 거북목까지 얻었지만, 주문과 동시에 솟아나는 무한 에너지는 비단 내가 20대여서 그랬던 건 아니었다. 남편에게 손 벌리지 않아도 된다는 시원함, 무엇을 사려고 할 때 덜 고민해도 된다는 만족감, 일도 하면서 아이도 돌본다는 우월감 등에 젖어 매일 행복했다.

반면, 남편은 힘들어했다. 직장에서 돌아오면 현관부터 발 디딜 틈 없이 쌓인 택배 상자들과 마주해야 했다. 그것을 헤집거나 타 넘으면서 안으로 겨우 들어오면 아내는 쳐다보지도 않은 채 빨리 도와 달라고 성화고, 아이들은 늘 TV 앞에 방치돼 있었다. 다음 날 입고 가야 하는 옷도 빨래통에 있기 일쑤였으니 남편이 제정신일 수가 없었다. 남편은 집안일을 하며 잔소리하기 시작했다. 우리는 그것 때문에 자주 다퉜다. 물론, 남편도 집안일을 할 수 있다. 하지만 아내가 집에 있으면 대체로 집안일은 '집안'에 있는 아내의 몫이 된다. 남편은 차라리 일을 그만두라고 했다. 일이 무시당하는 것 같았던 나는 발끈했다. 달력엔 10개월 후의 주문까지 적혀 있었다. 나는 미래를 사느라 바빴고, 남편은 현재의 공황에서 고통받고 있었다. 결국 작은 애가 네 살이 되던 해에 다른 사람에게 그 일을 모두 넘겼다. 고군분투 나의 부업기는 그렇게 막을 내렸다. 멜라민 쟁반은 부업의 마지막 증거였다. 하지만 그것은 곧장 잊혔다.

답례품 장사를 그만둔 해에 나는 원룸을 하나 얻어 독서 논술 공부방을 했다. 남편은 새로 시작한 일이 훨씬 낫다고 했다. 아직 어린아이들을 놔두고 가정을 벗어나서 일해야 한다는 사실이 더 힘들게 느껴졌지만 차차 적응해 나갔다. 그렇게 8년 동안 동네 아이들에게 독서와 글쓰기를 가르쳤다. 부업이 아니라 생업이 시작되었다. 그러나 8년을 내리 일하다 보니 지치기도 했고 마침 다른 도시로 이사 가게 되어 공부방을 관뒀다. 하지만 자료를 버리지 못해 엄청나게 많은 박스에 차곡차곡 담아 모두 가지고 갔다. 이사 갈 때마다 많이 버렸는데도 기어코 버리지 못한 박스가 많았다. 먼지 더미가 된 녀석들을 아들 방 옆 베란다에 밀어 넣고 아들에게 몇 번씩 지청구를 먹기도 했다. 여기가 내 방인가 엄마 창고인가, 하는 불평을 들었다. 다 버릴까, 생각한 적이 있긴 했지만 만약을 위해서 남겨두어야 했다. 아마 언제고 아이들에게 글쓰기를 가르치는 사람으로 돌아가겠다고 생각했던 모양이다. 하지만 생각보다 공백이 길었다.

그러다 마침내 지난달에 작은 가게를 하나 얻었다. 다시 글쓰기를 가르치고 싶어서 시작했다. 호기롭게 오픈했지만 교습소를 얻어서 하는 것은 처음인데다가 5년 만에 다시 내 사업을 시작한다니 심란함을 감출 수가 없었다. 스스로 선택했으면서도 이상한 불안에 휩싸였다. 학생 모집이 금방 안 돼서일까? 교습소에 나와서 앉아 있기는 하지만 마음만 분주할 뿐 뭘 해야 하는지, 왜 하고 싶었는지조차 퇴색되는 느낌이었다. 어쨌든 가게를 얻었기 때문에 아들 방 베란다에 있던 박스 열일곱 개를 뺄 수 있었다. 하나씩 열어 먼지를 털고 자료들을 꺼내 정리했다. 그동안 쌓아둔 자료와 책이 정말 많았다. 언젠가 다시 할 것 같다는 막연한 기대와 소망이 있었는지, 그동안 다했던 열심의 증거를 차마 버릴 수 없었던 건지 단정하기는 어렵다. 그러나 그것들은 이력을 증명하듯이, 때론 나의 미래를 선포하듯이 변하지 않고 얌전히 남아 있었다. 처치 곤란의 이 물건들이 내 기록이고 기억이구나, 그때의 열정을 되찾을 수 있긴 할까? 묘한 불안을 마주하던 내게 쟁반이 와장창 소리와 함께 말을 걸었다.

쟁반의 요란한 소리가 문득 부업의 시절을 떠오르게 했다. 첫 농사를 거둔 농부처럼 감격했던 경험, 밤을 새우면서도 다음 주를, 그리고 다음 달을 기록하고 기다리던 시간을 소환했다. 사는 건 늘 바빴고, 전혀 다른 일을 하다 보니 부업의 한때는 빠르게 잊었다. 사실 답례품 장사의 3년은 내게 어려움의 강물을 지나는 조각배 같은 거였다. 당시에는 위태해 보였는데 그때가 좋았음을, 잔잔한 소망으로 충만했음을 오늘에서야 생각한다. 육아와 집안일도 이겨내고 현재와 미래를 동시에 살며 흐뭇해하던 20대의 나를 떠올린다. 쟁반이 깨져버리고 나서야 성취의 유쾌함이 파도처럼 마음에 닿는다. 늘 그 자리에 있어서 아무런 동요가 없었던 물건이 와장창 소리를 내고 나서야 실상 중요한 한때를 기억한다. 누구에게나 있을 테지만 내게는 최초로 있었던 뜨거웠을 한때. 무엇이든 해낼 수 있다는 자신감과 해냈다는 기쁨. 그때의 보람과 기쁨이 현재의 불안한 나에게 꼭 필요하다.

나는 다시 새로운 일 앞에 서 있다. 또 한 번 뜨거운 시절을 보내야 하는 내 앞에 이전의 유쾌한 성취감이 기다리고 섰다. 그간 걱정과 고민으로 잠까지 설치던 심란의 일기장을 덮기로 했다. 깨진 쟁반을 붙들고 한참 섰다가 기어이 쓰레기통에 넣으면서 새로이 마음을 먹었다. 또 잘해 낼 수 있어. 넌 또 새로운 페이지를 쓸 수 있어, 하고.

그러고 보니 실로 고마운 쟁반 아닌가.

그런 미래를 기억한다

해야

1980년대는 나의 유년기가 책과 함께 무르익어가던 시절이었다. 소심하고 부끄럼쟁이였던 나는 낯설고 어려운 현실보다 재미있고 만만한 책 속 세상으로 더 쉽게 빠져들었다. 책이 귀하던 시절 마르지 않는 샘처럼 이야기를 제공해 주던 나의 아지트는 엄마가 근무하던 시골 국민학교의 도서관이었다. 일직 근무를 서던 날이면 따라갔던 그곳은 나에게 마법 같은 공간이었다. 직사각형으로 붙인 책상에 선생님들의 방석을 가져다 깔고 그 위에 누워 세계 명작동화를 열심히 읽었다. 책 속에는 내가 경험하지 못한 다양한 세상과 사람들이 존재했다. 마냥 심심할 것 같은 산골 생활 이야기도 충분히 재미있다는 것을 알게 한 『알프스 소녀 하이디』, 착한 세라보다 부잣집 딸 세라가 더 매력적으로 다가와 물질적 욕망을 깨닫게 하던 『소공녀』, 거지 소녀 파데트가 랑드리의 아름다운 피앙세로 거듭나는 『사랑의 요정』은 꼭 요조 숙녀가 아니어도 멋진 사랑을 할 수 있다는 희망을 안겨주는 이야기여서 신선했다. 이외에도 인상적인 작품은 너무 많았다. 이런 책 속 주인공들은 한결같이 선량하고 의지가 강했다. 그들을 통해 굳은 심지를 가지고 바르게 살다 보면 행복해진다는 것을 배울 수 있었다. 착한 것이 이긴다는 믿음은 양심의 불을 밝혀 주었고 긍정적인 아이로 자라게 해주었다. 좋아서 읽은 책들이 나를 지키는 힘이 되어주었다는 확신은 책에 대한 신뢰로 이어졌다.

엄마가 되자마자 아이들에게 무엇보다 책의 재미를 알게 해주고 싶었다. 풍요로운 책 세상을 만나 다양한 경험과 지식을 쌓고 내면을 단단하게 키우기를 바랐다. 아기 때부터 꾸준히 책이 있는 환경을 만들어주고, 그림책을 충분히 읽어주었다고 느꼈을 때 세계 명작 동화로 넘어갔다. 어릴 적 추억과 겹쳐 아이들에게 동화를 읽어주는 시간은 나에게 기쁨이었다. 우리는 좋은 문장에 감동하고 함께 울고 웃는 날들을 쌓아갔다. 작은 도서실에서 내 세계가 무한히 뻗어나가는 경험을 했듯이 우리 아이들도 책으로 단단히 연결되어 간다고 믿었다. 그러나 책이 점점 두꺼워져 내가 읽어주기 버거워지자 아이들은 서서히 책으로부터 멀어졌다. 어떻게 이럴 수 있지! 아이들도 책을 좋아한다고 믿었던 것은 착각이었나? 엄마의 바람과 달리 듣는 것은 재미있지만 스스로 읽는 것은 싫다며 아이들은 독서와 쿨하게 작별했다. 아이들이 책을 읽지 않는다는 사실을 받아들이는 것은 힘들었다. 독서만이 내적 성장에 도움을 준다고 생각하지 않지만, 그 유익을 알기에 지금도 가끔 아이들이 읽었으면 하는 책을 발견하면 책상 위에 슬쩍 올려놓는 미련을 떤다.

최근 김연수 작가의 『이토록 평범한 미래』라는 책을 읽었다. '미래를 기억한다'라는 문장이 인상적이었는데 우리가 꿈꾸는 미래를 잊어버리지 않고 계속 기억하고 있으면 그런 오늘이 온다는 말로 이해했다. 그러기에 우리는 비관이나 절망 대신 희망을 기억해야 한다. 나는 아이들이 언젠가 책을 읽으며 하루를 보내고, 책 속에서 사랑하는 사람에게 건넬 다정한 말을 고르고, 슬픈 사람을 위로할 사려 깊은 마음을 배워갈 미래를 기억한다. 내가 할 수 있는 것은 그런 미래를 잊어버리지 않는 것. 그리고 나의 독서에 깊이를 더하는 것이리라.

유난히 덥던 올해 여름도 저물어가는지 아침저녁으로는 제법 시원하다. 달라진 바람을 느끼며 문득 학교 도서실에 있던 나와 엄마 생각이 났고 그 생각은 아이들에게까지 이어졌다. 엄마가 되고 보니 비로소 깨닫는 것이 있다. 아이가 떠올릴 엄마와의 추억은 기억의 한 조각이겠지만, 엄마는 아이와 함께한 시간을 촘촘한 파노라마로 기억한다는 것이다. 우리 엄마도 그럴 것이다. 그 생각에 이르자 고향에 계신 엄마를 더 자주 만나야 한다는 조급함이 인다. 친정 식구들과 만날 접점이 필요한데, 번뜩 떠오른 생각이 책 모임이다! 책 모임을 구실 삼아 자주 얼굴을 뵐 수 있을 것이다. 그리고 함께 책이라는 징검다리를 건너며 어쩌면 평생 하지 못했을, 아니면 하지 못할 진심을 나눌 수 있는 귀한 시간이 우리에게 주어질지도 모른다.

남편에게 내년에는 한 달에 한 번 정도 고향에 내려가 엄마, 언니와 독서 모임을 해볼까 하는데 어떠냐고 물었다. 남편은 조금 놀란 모습이었지만 곧 고개를 끄덕이며 생각대로 하라고 했다. 그 말끝에 뭔가 아쉬움이 묻어나서 설마 당신도 독서 모임하고 싶은 거야? 물었더니, 아니라며 손사래를 쳤다. 그런데 며칠 뒤 남편이 소설책을 빌려와 열심히 아주 열심히 읽기 시작하는 것이다. 사실 우리 아이들이 독서에 취미가 없는 건 남편 유전이라고. 여태 완독하는 걸 본 적이 없다고 투덜댔는데 이번에 남편은 진지하게 완독하고 나의 서가를 기웃거린다. 평소 휴대폰 영상만 보며 아무 생각 없이 웃어대던 남편이 갑자기 책을 읽고 있는 풍경이 펼쳐지는 우리 집. 아내와 함께 놀려면 책을 읽어야겠다 각성한 것인지 정작 읽으라는 애들은 안 읽고 남편이 책을 보는 생뚱맞은 현실에 웃음이 난다. 인생은 예측하지 못한 곳으로 흘러 거기에서 또 행복을 발견하기도 하나 보다.

이제 나의 독서 아지트는 거실 서재다. 소담한 정원이 보이는 창 쪽으로 테이블을 놓고 거기에 앉아 매일매일 책을 읽는다. 비가 오는 날, 눈이 내리는 날, 새가 찾아드는 날, 꽃이 피고 지는 날 모든 하루에 책 읽기를 더하며 나이 들어간다. 그런 나의 곁에 사랑하고 아끼는 사람들이 모여 책 이야기를 나누는 풍경을 상상한다.

책방을 운영해도 좋겠다. 나뭇결이 느껴지는 아늑한 공간, 식물의 푸르름이 싱그러움을 더하고 통창을 통해 햇살이 넘실대는 곳. 커피 향이 음악처럼 흐르고 재미있는 책이 곳곳에 꽂혀있는 작은 책방에서 다정하고 사랑스러운 사람들이 모여 책을 읽고 삶을 나누는 그런 미래를 기억한다. 그때는 일상적인 대화 너머의 속마음들이 부드럽게 넘나들며 서로의 마음을 따뜻하게 채워가겠지. 상상만으로 행복해지는 시간. 유년기 나의 아지트에서부터 독서를 통해 내가 채워온 것은 이런 낭만이었나 보다.

책을 함께 읽는다는 것은 서로의 편이 되어주는 것. 우리 같이 책 읽을래요?

사람들 사이로

지금 당신은 무엇을 꿈꾸고 있나요?

진주

"넌 꿈이 뭐야?"

어릴 적부터 수없이 들어왔던 질문이다. 질문을 받을 때마다 내 꿈은 자주 바뀌곤 했다. 즉흥적인 성격도 한몫했고, 호기심 많아 궁금한 건 한 번씩 해봐야 직성이 풀렸다. 금방 싫증을 내고 새로운 흥미 거리를 찾는 성격 탓이기도 했다. 상상력이 풍부해 생각지 못한 엉뚱한 일을 벌이기도 했고, 멍하니 생각에 빠져있을 때도 종종 있었다. 그럴 때 잡생각 한다는 이야기를 주변에서 듣기도 했다.

여섯 살 때 <들장미 소녀 캔디>를 세상에서 제일 좋아했다. 나의 왕자님 테리우스 만나기를 꿈꾸며 캔디처럼 되고 싶었다.

엄마에게 캔디와 똑같은 파마머리를 해달라고 졸랐지만 어려서 파마약은 안 된다는 반대에 사촌 언니 미용실에서 종일 울었다. 결국 나의 눈물은 통했고 원하는 대로 파마에 성공했다. 곱슬머리가 되어 집으로 돌아오는 길은 온 세상이 날 위한 듯 아름다워 보였다. 그렇게 잘 말려진 풍성한 머리를 양 갈래로 묶어 리본을 단 나는 반짝이는 화려한 공주 원피스를 입고 다녔다. 내가 제일 예쁘다는 아빠의 말에 손님만 왔다 하면 한겨울에도 반짝이 여름 원피스를 꺼내입었다. 그 원피스만 입으면 세상에서 제일 예쁜 소녀가 된 것 같은 착각에 빠졌다.

하루는 엄마가 외출한 틈을 타 몰래 옷장에서 엄마가 아끼는 하늘거리는 예쁜 원피스를 꺼내 입었다. 그럴 때면 신데렐라가 재투성이에서 공주로 변신하듯 마법에 걸렸다. 그리고 긴 보자기 천을 부엌 창고 어디선가 찾아와 망토처럼 목에 둘렀다. 엄마가 돌아올까 조마조마하며 화장대에서 립스틱도 바르고 신발장에서 큐빅 박힌 뾰족구두도 찾아 신었다. 굽이 높은 구두를 질질 끌며 엉덩이를 씰룩쌜룩 흔들며 걸었다. 언젠가 TV에서 본 미스코리아처럼 한 손을 흔들고 인사를 하며 돌아다녔다.

그렇다. 어느새 나의 꿈은 미스코리아로 바뀌어 있었다. 지금 사진에서 보면 여섯 살의 나는 공주와는 전혀 어울리지 않는 까무잡잡하고 동글동글한 얼굴에 촌스럽고 화려한 색 원피스를 입은 해맑게 웃던 아이였을 뿐이다. 외출에서 돌아오신 엄마는 집안을 난장판으로 만들어 놓은 모습에 기막혀했다. 하지만 아빠는 "우리 진주는 미스코리아 나가기만 하면 진이 될 거야"라며 웃었다. 얼마 지나지 않아 내가 미스코리아가 될 만큼 예쁘지 않다는 건 알 수 있었지만 슬프거나 실망하지 않았다. 그 시기에는 무엇이든 하고 싶은 건 다 할 수 있었고 또 새로운 꿈을 찾아 떠날 예정이었기 때문이다.

나는 곧 새로운 흥미 거리를 찾았다. 간호대학을 다니던 사촌언니의 '나이팅게일 선서' 사진을 본 것이다. 언니는 사진을 보여주며 간호사가 된 것이 자랑스럽다고 했다. 나는 흰 간호복을 입고, 촛불을 들고 있는 모습이 천사 같아 언니처럼 간호사가 되기를 꿈꾸었다. 그 후에도 상냥한 말투와 다정한 미소를 보내는 유치원 선생님을 동경해 유치원 교사가 되고 싶기도 했고, 아이들을 가르치는 초등학교 선생님을 꿈꾸기도 했다.

청소년기가 되면서 불안이 커지고 걱정이 늘어갔다. '미래의 나는 무엇을 하고 있을까? 내가 잘하는 게 하나도 없는데.' 그 시절 나는 혼자서 아무것도 할 수 없는 겁쟁이지만 내면에서는 세상 밖 탈출을 꿈꾸고 있었다. 생각은 많고, 이런저런 눈치는 보이고, 혼자일 때가 제일 편했던 그 시절. 어른스러운 자유를 꿈꾸며 생각해 낸 방법이 있었다.

그것은 바로 나 혼자만의 여행이었다. 혼자만의 여행이라니 생각만 해도 설레서 너무 낭만적이라며 대책 없이 당장이라도 짐을 싸서 어디론가 떠나고 싶었다. 하지만 나는 이제 고등학교를 갓 입학한 학생이었고 부모님도 허락해 주실 리 없었다. 혼자만의 여행을 계획한 나는 포기할 수 없어 당일 여행으로 바꾸어 부모님께 주말에 독서실 간다고 친구들까지 동원해가며 완벽한 알리바이를 만들었다.

드디어 토요일 새벽, 혹시 엄마에게 들킬까 봐 초조했지만 애써 태연하게 인사를 했다. 코끝에 스치는 공기가 서늘했다. 아침 해가 아직 뜨지 않아 짙푸른 거리, 옅은 가로등 불빛을 보며 다시 집으로 돌아갈까 망설였다. 그러는 사이 남춘천역에 도착하고 미리 알아두었던 매표소에 가서 마음속으로 수없이 연습해 보았던 한 마디를 겨우 말했다. 뛰지도 않았는데 긴장감에 숨이 찼다.

"청량리역 학생 한 장이요"

혹시나 미성년자 혼자라 뭐라 하는 건 아닌지 입이 바짝 마르고 심장이 쿵쿵 빠르게 방망이질 쳤다. 대비로 할 대답도 생각해 뒀는데 막상 혼자 서 있으니 다리도 후들거리고 머릿속이 새하

얗게 변한 느낌이었다. 하지만 매표원은 별다른 관심이 없었다.

어느 틈에 나는 표를 받아 서울로 향하는 청량리행 기차에 앉아 있었다. 덜컹덜컹 소리 내며 천천히 출발하는 기차에 앉아 멍하니 창문 밖을 보았다. 온몸이 땀으로 축축하게 젖어 있는 모습이 비쳤다. 그런데도 나는 자꾸 웃음이 비실비실 새어 나왔다. 막상 서울에 가면 어디로 가야 할지 모르면서 무사히 기차 탄 것에 대한 안도감과 알 수 없는 기대감에 설렜다.

그러나 서울은 실망이었다. 내가 생각한 것만큼 재미있지도, 새롭지도 않았다. 1997년에는 구글 지도도 네비게이션도 없었다. 길 찾기는 나에게 잔디밭에서 바늘 찾기보다 더 어려운 일이었다.

그 일로 확실히 알게 된 것은 심각한 길치라는 사실이다. 제대로 서울 구경도 못 한 채 종일 길을 헤매고 다녔다. 기차 시간에 맞춰 돌아가야 했기에 밥도 못 먹고 하루 사이 꼬질꼬질해져서는 겨우 다시 청량리역에 도착했다. 남춘천역으로 돌아가는 기차 안에서 서러움에 눈물을 찔끔 흘리기도 했다.

늦은 저녁 집에 도착해 엄마가 차려주시는 따뜻한 밥을 허겁지겁 먹었다. 그날따라 엄마 밥은 어찌나 맛있던지. 미안한 마음에 엄마 얼굴을 똑바로 보지 못했다. 엄마는 밥도 안 먹고 공부했냐며 천천히 먹으라고 하시는데 나는 고개만 푹 숙이고 밥만 계속 먹었다.

그날 이후로 나 홀로 여행은 한동안 꿈꾸지 않았다. 하지만 나는 진정으로 하고 싶은 일을 다시 찾아보기 시작했고 용기 내 도전하며 내 안에 두려움을 조금씩 극복해 갔다. 그 시절의 내 도전은 미완성이었지만 스스로의 용감함에 감탄하며 무엇을 도전하는 것에 두려워하지 않았다.

누군가 꿈을 물어보면 여전히 내 대답은 그때그때 마다 바뀐다. 그림을 그리는 날이면 모지스 할머니처럼 화가를 꿈꾸고, 글을 쓰는 날이면 사람들이 내 글을 읽고 행복했으면 좋겠다는 소망을 담아 작가가 되는 게 꿈이라고 말한다. 어떤 날은 책방 주인이 되어 마음껏 책을 읽고 싶다는 꿈을 이야기하고, 남편이 퇴직하면 함께 여행을 다니며 좋은 곳을 소개하는 여행가를 꿈꾸기도 한다.

내 인생의 길 위에는 캔디를 좋아하던 울보 꼬맹이가 있고, 또 새로운 재미를 찾아 홀로 여행을 감행했던 열일곱의 내가 있다. 삶에 대한 호기심으로 가득하기에 여전히 나는 꿈꾸는 중이다. 그러나 내 꿈은 거창하지 않다. 오늘보다 더 나은 내일을 위해 전전긍긍하기보다 오늘의 행복에 집중하려 한다. 새롭고 재미있는 일들은 곳곳에 있고 마음을 끄는 흥밋거리를 찾아 하루하루를 즐겁게 채워가는 인생을 꿈꾼다. 어쩌면 누군가는 지금 살기도 힘든데 꿈꾸는 것은 사치라 할 수 있고, 네 꿈은 현실성이 없고 좋은 말로만 포장한다고 말할 수도 있다. 하지만 꿈은 내가 만들어 가는 것이고 그 꿈들로 채워지는 인생도 내 인생이기에 나는 당신도 꿈꾸라 말하고 싶다. 때로는 철부지처럼, 때로는 설렘으로 가슴 벅차게.

'지금 당신은 무엇을 꿈꾸고 있나요?'

시간과 기억을 품은 느티나무

글짓는앤

30년간 아픈 나무를 돌봐 온 우종영 나무 박사는『나는 나무처럼 살고 싶다』에서 술래잡기하며 놀았던 고향 마을의 커다란 느티나무에 얽힌 어린 시절 추억들을 이야기한다. 느티나무는 마땅히 놀거리가 없는 어린 꼬마들에게 재미난 놀이터가 되어주었다. 잘못이라도 저지르는 날이면 싸리비로 엉덩이를 때리는 어머니를 피해 느티나무 구멍으로 몰래 숨어들었다. 어린 우종영은 느티나무 구멍 안에 있으면 마치 나무 위 오두막집에 숨어든 톰 소여가 된 것 같기도 했다. 주목 나무에서 시작해 회양목에 이르기까지 열네 그루의 나무 이야기 중 유독 느티나무 이야기가 와 닿았던 것은 나도 어린 시절에 마을 어귀 커다란 느티나무 아래에서 놀았던 추억이 있기 때문이다.

내 마음속에는 오랜 세월이 흘러도 변함없는 푸르름을 안고

서 있는 나무 한 그루가 있다. 고향 마을의 느티나무는 바둑을 두는 어르신들과 일손을 나누고 수다를 떠는 동네 아주머니들의 사랑방이 되었다.

어르신들은 대낮부터 막걸리 한 사발씩을 들이켜며 내기 바둑이나 장기를 두었다. 평상 주변에서 얼쩡거리던 아이들에게 꼬깃꼬깃한 천 원짜리 몇 장을 쥐여주며 가게에 가서 막걸리를 사 오라고 했다. 세상에 공짜는 없는 법. 잔돈은 먹고 싶은 과자 사 먹으라며 심부름 값까지 넉넉히 챙겨주었다. 돈이 궁한 날에는 과잣값이라도 벌어볼 심산으로 어르신들의 심부름을 기다리며 주변을 어슬렁거렸다. 인심 넉넉한 할아버지 대신 구두쇠 영감님들만 있는 날에는 껌값은커녕 잔심부름만 해야 하는 불상사가 나기도 했다. 동네 어르신들 외출이 뜸해지는 겨울이 다가오면 심부름 대가로 받았던 과잣값이 아쉬워 하루빨리 바둑판이 다시 열리기를 목이 빠지게 기다렸다.

느티나무 평상은 일감이 담긴 소쿠리를 이고 와서 은근슬쩍 누군가의 손을 빌리려는 얄팍한 아주머니의 수고를 덜어주는 곳이 되기도 했다. 동네 아주머니들은 일손을 빌리러 온 뻔한 속내를 알면서도 살짝 눈을 흘길 뿐 대놓고 싫은 말을 쏟아내지는 않았다. 평상에 둘러앉아 달달한 믹스 커피 한 잔 마시며 진담 섞인 농을 쳤다.

"누구보고 이걸 다 하라고 한 소쿠리씩이나 가져온 겨? 이거 다하면 우리 일당도 챙겨 준당가? 나는 좀 비싼디."

그러면서도 손톱에 까만 물이 들도록 고구마순을 다듬고, 옷소매로 눈물을 찍어내며 매운 마늘을 까주었다. 손과 입을 바쁘게 움직이며 떠들어대는 동네 아줌마들의 수다와 웃음소리로 평상은 궁둥이 여럿 떠날 때까지 들썩거렸다.

사방으로 뻗어나간 느티나무 가지마다 내 삶의 한 축을 지탱해준 반짝이는 유년 시절의 추억들이 매달려 있다. 마을의 느티나무는 어머니의 넉넉한 품처럼 동네 아이들을 따뜻하게 보듬어 주었다. 나무는 아이들이 제 몸에 올라가고 매달리고 부딪치고 발길질해도 묵묵히 서서 온몸으로 그 모든 것을 받아 주었다. 하지만 때론 극성스러운 말썽꾸러기 녀석들의 발길질과 칼질이 아프기도 했을 것이다. 짓궂은 남자아이들은 종종 문구용 칼이나 뾰족한 도구로 나무껍질을 벗기고 글씨를 새기는 등의 거친 행동을 했다. 나무에게 단 하루 마음껏 움직이고 말할 수 있는 기회가 이 있었다면 그 녀석들은 천둥 같은 불호령과 함께 아주 혼쭐이 났을 테다.

아이들은 느티나무 아래서 숨바꼭질하고 '무궁화꽃이 피었습니다'를 했다. 꼭꼭 숨어 있는 동무들을 찾을 때마다 술래는 부리나케 뛰어가 커다란 나무줄기에 손도장을 찍었다. 우리가 찍은 손도장이 그대로 나무에 새겨졌다면 아래 줄기는 수많은 손자국으로 빼곡할 것이다.

무더운 여름이 되면 아이들은 따가운 햇살을 피해 나무 그늘 아래 앉았다. 손바닥을 뒤집었다 폈다 편을 나누고 동글동글한 돌멩이로 공기 대결을 벌였다. 요즘 아이들은 다섯 알로 하는 공기놀이를 주로 하지만(사실 요즘 아이들은 공기놀이 자체를 거의 하지 않는다) 그때는 공깃돌 개수에 따른 공기 종류와 기술도 다양했다. 받고 던지는 단순한 기술에서부터 떨어져 있는 여러 개의 공깃돌을 한 번에 쓸어 잡거나 콩콩 점프하듯 두 공깃돌을 연이어 잡는 등의 고난도 기술이 있었다. 이 모든 기술을 자유자재로 구사하며 상대편 기선을 제압했던 '공기의 신' 가겟집 언니는 부러움의 대상이었다.

땀에 흠뻑 젖도록 한바탕 뛰어놀고 나면 동네 아이들은 마을 입구에 있는 구멍가게로 우르르 몰려가 아이스크림을 사 먹었다. 흙 범벅이 된 손으로 차가운 쭈쭈바를 꼭 잡으면 어느새 팔 아래로 때 구정물이 줄줄 흘렀다. 하지만 우린 전혀 개의치 않았다. 시원하고 달달한 쭈쭈바 하나 빨고 평상에 누워 있는 그 순간이 평안하고 행복할 뿐이었다. 이곳이 바로 먼 옛날 중국의 도연

명이 말한 별천지 무릉도원이요, 쪽쪽 빨아먹고 있는 이 쭈쭈바가 무릉도원의 탐스러운 복숭아였던 것이다. 정말 그 순간만큼은 세상 그 무엇도 부럽지 않을 만큼 기쁘기만 했다. 느티나무 그늘 아래서 아이스크림 먹으며 한숨 고르는 동안 우리는 또 다른 놀거리를 끊임없이 생각해냈다. 그것은 마르지 않는 샘처럼 무궁무진했다.

친정에 갈 때마다 여전히 터줏대감처럼 마을 앞을 지키고 서 있는 느티나무를 본다. 나무는 변함없는 모습으로 어린 시절 그때처럼 나를 반겨주는 것 같다. 수많은 동그라미가 켜켜이 새겨진 나이테에는 나무의 시간과 더불어 작은 시골 마을의 흔적들이 차곡차곡 쌓여있다. 마을을 스쳐 간 수많은 사람의 사연도 가득 품고 있을 것이다.

초여름 어느 날 세종 시립민속박물관에서 만난 느티나무 한 그루도 나에게 고향의 푸근함을 선물해 주었다. 자그마한 시골 학교 모습을 한 민속박물관에 들어서자 덩치 큰 느티나무 한 그루가 우리 가족을 맞았다. 운동장을 가로질러 나무에 가까이 갈수록 뜨거운 햇살을 피해 넓은 그늘 속으로 얼른 들어가고 싶었다.

박물관 관람은 뒷전으로 미루고 우리는 느티나무 아래 벤치에 앉아 간식을 먹고 수다도 떨며 여유로운 시간을 보냈다. 선선한 바람을 맞으며 김광석의 <바람이 불어오는 곳>을 들으니 더 이상 이를 수 없는 최대치의 행복에 다다른 듯한 기분이 들었다. 한 사람씩 돌아가며 선곡하고 베짱이처럼 한가로이 음악을 듣다가 두 딸과 남편은 그네를 타러 갔다. 느티나무 덕분에 아이들은 그늘에서 신나게 그네를 탔다. 이 모습을 찍은 사진을 보니 느티나무가 마치 두 아이의 안위를 지켜주는 수호신처럼 보였다.

벤치에 누워 나무가 쏟아내는 따스한 초록빛과 두 뺨을 간질이는 바람을 맞으며 『나는 나무처럼 살고 싶다』를 읽었다. 이 나무를 만나려고 내가 이 책을 들고나온 것도 같고, 고목이 뿜어내는 영검함이 나에게 전해진 것 같은 느낌도 들었다. 혹시 나무와 나, 우리 둘 사이에 텔레파시가 통한 게 아닐까? 얼토당토않은 생각이지만 어떤 마법의 기운이 우리를 하나로 이어준 것 같았다. 어릴 적 나무 그늘 평상에 앉아 쭈쭈바를 빨며 느꼈던 무릉도원 신선들의 기분을 이곳에서 다시 맛보게 되었다.

그네와 몇 개의 벤치가 전부인 밋밋하고 한적한 이 공간이 나무 한 그루만으로도 이렇게 즐거워질 줄이야? 커다란 느티나무 한 그루로 인해 나의 시공간은 아름답게 반짝였다. 쉼이 필요한 나에게는 책을 볼 수 있는 한가로움을, 더위 많이 타는 신랑에게는 시원한 그늘을, 놀기 좋아하는 딸들에게는 그늘에서 그네 타는 재미를 선물해 준 나무에게 고마움을 전하고 우리는 박물관을 나왔다. 내 마음이 나무에 가닿기를 바라면서.

'오늘 네 덕분에 나무가 주는 여유로움과 기쁨을 알게 되었으니 두고두고 기억하고 다시 찾아올게. 그날까지 너도나도 건강하게 잘 지내자. 오늘 하루 고마웠다.'

서로의 마음길을 산책하는 시간

해야

나는 아침에 걷는 숲길을 좋아한다. 토독토독 우산에 부딪히는 빗소리를 들으며 걷는 길도 재미있다. 부드러운 손길 같은 햇살이 토닥이고 새소리, 물소리 전해주는 바람결을 느끼며 걷다 보면 구겨졌던 마음도 살살 펴진다. 그림책을 들여다보는 시간은 산책과 같다. 담백한 문장을 입안에서 굴리고 아름다운 그림을 찬찬히 보고 있으면 마음이 고요해진다. 산책하며 경험하는 치유의 순간을 만나게 된다. 그림책은 혼자 보아도 좋지만 여러 사람과 감상을 나누면 감동과 재미는 배가 되는데 나의 그림책 독서 모임 '책바람'은 그런 곳이다.

매달 넷째 주 금요일 오전 10시. 쌉싸름한 커피 향이 감도는 햇살 좋은 카페에 앉아 팀원들을 기다린다. 이번 달에 함께 읽을 그림책은 에바 린드스트룀의 『모두 가 버리고』다.

이 그림책 속 주인공 프랑크는 친구와의 관계에서 상처 입은 소년이다. 누가 상처를 준 것도 아니지만 스스로 어울리지 못해 눈물 흘리는 아이. 소년은 흐르는 눈물을 냄비에 담고 400밀리리터 설탕을 넣어 마음이 회복될 때까지 저으며 끓인다. 마침내 눈물의 마멀레이드 잼이 만들어졌을 때 소년은 창문을 열고 친구를 기다린다. 친구들 역시 같이 어울리지 못하고 혼자 가 버린 소년이 신경 쓰여 그의 집 창문 아래에 모여있다. 소년은 갓 구운 빵과 눈물의 마멀레이드 잼을 들고 친구들이 있는 마당으로 나간다. 어떻게 되었을까? 친구들이 맛있게 먹어주었을까? 농도를 맞추기 위해 눈물 잼에 넣은 400밀리리터의 설탕은 뭘 상징하는 걸까? 눈물의 마멀레이드 잼은 어떤 맛일까?

마치 어린아이가 서툴게 그린 듯한 그림, 심리를 선명하게 드러내지만 그만큼 답답하게 하는 장면 속 장애물들은 은유와 상징으로 쓰여 처음 읽었을 땐 고개를 갸웃거리게 했다. 그러나 우리의 감상이 깊어질수록 소년이 안쓰러워 촉촉해진 서로의 눈을 보았고, 자신과 관계 사이의 어려움을 알고 조절해보려 용기 내준 소년의 마음이 기특해 박수도 쳤다. 또, 그런 소년 곁을 쉽게 떠나지 않는 친구들이 있어 안심했다.

그림책의 마지막 장은 아이들이 모두 떠나고 남은 공간이다.

빈 그릇들로 어질러졌지만 답답함을 주던 기둥들이 사라져 시원해진 공간이 해방감을 준다. 하지만 여전히 그림이 주는 균형감은 어색하다. 그림책은 빵과 마멀레이드 잼을 먹었다고 해서 소년과 친구들 사이의 서먹함이 금방 사라진다고 말하지 않는다. 그 대신 어려운 관계 속에서 노력하고 변화하는 그 성장의 지점을 응원하고 있다. 잔소리하듯이 가르치지 않는 그림책의 방식이 좋다. 하나로 꼭 집어낼 수 없는 복잡다단한 우리 각자의 마음을 은유해 더 풍성하게 느끼게 하는 그림책은 매력적이다.

이제 우린 그림책에 빗대어 들려주는 각자의 이야기에 귀 기울인다. 나는 오늘 아침 딸과의 에피소드를 들려주었다. 영어 테스트가 있는 날이라 딸은 일어나자마자 짜증을 부렸다. 씻으러 가면서도 투덜거리길 멈추지 않았다. 공부를 좀 하면 될 텐데, 하는 안타까운 생각이 스쳤지만 그걸 아이가 모를 리 없기에 잔소리 대신 좋아하는 떡국을 끓였다. 매번 양파를 건져내던 딸이 생각나 오늘은 그냥 통양파를 육수로 사용해 맛을 냈고 시원한 수박은 썰어 일부러 씨를 빼놓았다. 딸은 양파가 없어 먹기 좋다며 떡국 한 그릇을 맛있게 먹고 수박도 베어 먹었다. 아침 식사가 맘에 들었는지 딸의 기분이 좀 풀렸다. 나는 딸에게 오늘 아침 식사에 너를 위한 두 가지 배려를 숨겨두었는데 눈치챘냐고 물었다.

딸은 떡국에 양파 뺀 거, 또 하나는 모르겠다며 가르쳐 달라고 했다. 하지만 나는 그건 비밀로 해 두자며 대신 꼭 하고 싶었던 말을 해 주었다. 너의 하루엔 영어 시간처럼 어려운 순간들도 있겠지만 좋은 일들도 준비되어 있을 테니 행복을 더 많이 발견하는 하루가 되길 바란다고. 딸은 엄마 말이 오글거리는지 멋쩍게 웃으며 학교로 갔다.

이런 이야기를 남들 앞에서 하는 건 왠지 부끄럽지만 가끔은 일상에 문학적인 이벤트가 있어도 괜찮지 않을까 싶어 들려주었다. 역시 리액션 장인들이라 나의 이야기에 동아리 회원들은 요란스레 칭찬해 주었다. 그림책을 깊이 읽은 날은 내 행동도 좀 달라지더라며 나는 쑥스러워 웃었다.

이어지는 회원들의 이야기는 사춘기 아들딸과의 고군분투기였다. 유쾌하게 이야기하지만, 걱정돼서 하는 엄마의 말에 신경 쓰지 말라며 거부하는 아이를 보면 속상하고 걱정스러운 건 당연하다. 계획대로 되지 않아 몸이 상하고 마음이 상하는 아이들을 지켜봐야 하는 엄마 속은 또 얼마나 쓰라릴까! 사랑과 믿음으로 키우자고 다짐하다가도 아이의 행동이 엄마를 불안하게 하면 정제되지 못한 말들이 터져 나온다. 우린 서로를 살뜰히 위로한다. 아는 것과 실천은 달라 기대 같지 않게 못난 모습을 아이들 앞에 자주 보이지만 우리는 노력하는 엄마들이다. 오늘도 함께 이야기 나누며 웃고 우는 동안 서로의 마음에 기대 에너지를 충전한다.

혼자 걷던 나의 그림책 산책이 어느새 좋은 사람들을 만나 소풍이 되었다.

시작을 망설이는 당신에게

골방지기

우리는 그림책 활동가다. '그림책활동가들 [같이,봄]'이라는 다소 긴 이름으로 함께 활동하고 있다. '그림책 활동가'는 모든 세대의 독자들에게 좋은 그림책을 소개하고 그림책으로 다양한 활동을 하는 것을 직업으로 삼는 사람을 말한다. 예를 들면, 그림책 심리 상담가나 그림책 놀이지도사, 그림책 큐레이터 같은 것들이다. [같이,봄]이라는 이름에는 눈으로 본다(目)는 것 말고도 같이 새로 시작하는 봄(春)이라는 의미도 있다. 그림책을 좋아해서 더 많은 사람이 같이 그림책을 보길 원했던 우리는 이제 막 새로운 봄을 맞이하고 있다.

우리는 2015년 초등학교 그림책 봉사활동을 시작하면서 만났다. 아이들에게 그림책을 읽어주려고 학부모 동아리를 시작했지만, 시간이 흐를수록 어른들이 더 그림책에 빠져버렸다. 큐피드의 화살을 맞은 것처럼 사랑에 빠졌다. 그림책이 주는 위로와 아름다움을 알아버린 것이다.

일주일에 한 번 정해진 교실로 들어가서 2~3권의 그림책을 읽어줬다. 그리고 좋은 책을 읽어주기 위해 꾸준히 그림책 공부를 했다. 학기별로 그림책 행사도 했는데 아이들에게 즐거운 기억을 남겨주려고 몇 주 전부터 준비했다. 코로나가 창궐하여 모든 것이 멈췄을 때도 매달 학교에 그림책 읽어주는 영상을 만들어 주면서까지 아이들과 연결하는 그림책 끈을 놓지 않으려고 애썼다. 그러는 사이 우리는 7년 차 경력의 그림책 읽어주기 봉사자가 되었다.

회원 중에는 따로 그림책 심리 치료나 그림책 클래스를 운영하면서 돈을 버는 사람도 생겼지만 대부분 단순한 봉사자에 머물러 있었다. 나도 마찬가지였다. 몇 년 동안 다양한 그림책 이론(대부분 그림책의 역사와 해석에 관한) 강의를 듣고, 그림책 큐레이터 같은 자격증도 땄지만, 무언가 목적한 바가 있어서 준비한 것은 아니었다. 혹시 모를 미래를 위해서 '노느니 자격증 하나라도 더'하는 심정이었고 그게 그림책 관련 자격증이 되었을 뿐이었다. 그런 중에 좋아하는 그림책 읽기가 직업이 된 사람들을 보니 부러워졌다. 특히 취미가 업(業)이 되면서 당당하게 그림책을 사서 볼 수 있다는 게 가장 부러웠다. 집에 책이 많아도 너무 많다며 도서 총량 제한을 선언한 남편에게 다 '일하는 데 쓰는 자료'라고 큰소리치며 책을 사고 싶었다. 물론 돈까지 따라온다면 금상첨화겠지만. 아무튼 그럴 때 학부모 동아리 역량 강화프로그램으로 전주 도서관들을 견학하게 되었다.

날이 좋은 초겨울, 전주 금암 시립 도서관에서 모두 만났다. 좁은 주차장에 낡은 외관을 보니 어릴 때 자주 가던 도서관이 생각나서 살짝 실망했다. 이 낡은 도서관을 보려고 여기까지 왔나 싶었다. 그러나 내부는 반전이었다. 2022년 초에 대대적인 리모델링하고 재개관했다는데 내 기억 속 낡은 시립 도서관의 열람실과는 천지 차이였다. 정말로 책을 읽고 싶게 만드는 공간이었다. 높은 천장과 여백이 있는 서가, 곳곳에 놓인 초록 식물들, 안락한 소파, 책에 붙어 있는 다정한 소개 글 등 보이는 것 중에 독서와 어울리지 않는 것이 없었다. 잠깐 쉬러 나간 옥상도 근사한 루프톱 카페 같아서 연신 사진 찍는 소리가 들려왔다. 옥상에서 바라본 도심의 풍경은 아름다웠다.

프로그램에는 도서관 여행 해설이 포함되어 있었다. 해설사는 전주에서 10년 넘게 그림책 활동했다는데 이야기를 나누다 보니 내가 가고 싶어 했던 전주 그림책 서점의 사장님이었다. 그 서점은 작가와의 만남이 거의 매달 있었고 새 그림책이 나오면 출판관계자나 작가들이 꼭 방문하는 곳이었다. 그런데 언젠가부터 SNS가 업데이트되지 않아 궁금하던 차였다. 아는 체하며 물어보니 서점은 이미 폐업했단다. 책방지기였던 해설사는 이제 서점이 아닌 곳에서 더 바쁘게 활동하고 있다고 했다. 전주 국제 도서전과 국제 그림책 도서전의 조직위원, 11개의 시립 도서관의 특화설계 및 리모델링 참여, 책의 도시 전주의 이미지 확립을 위한 전시 기획, 그림책 작가와 그림책 활동가 양성을 위한 전주 그림책 키움터 사업 등. 듣기만 해도 대단한 일이었다. 우리는 어떻게 그런 일을 시작했는지 궁금했다. 작은 서점에서 어떻게 그 많은 작가를 불러 모임을 하고, 봉사로 하던 일로 도시를 바꿀 수 있었는지 물었다.

"선생님, 서점을 하면 가능할까요?"

그는 씩 웃으며 말했다.

"우리는 회비를 걷었어요. 십시일반 모아서 작가님들을 초대했어요. 시작부터 하세요. 일단 시작하고 좋아하는 걸 하다 보면 뭐든 될 거예요."

선생님의 목표는 그림책을 더 많은 사람에게 알리는 것이었다. 확고한 목표가 있으니 무모해 보일지라도 시작을 할 수 있었다. 시작해야 뭐라도 할 수 있으니까. 그래서 10년 전부터 그림책 모임을 만들고, 책방을 시작했고, 더 많은 사업을 진행하기 위해서 돈도 모았다. 다양한 행사를 통해 작가나 출판사와 관계를 맺으면서 활동 영역을 적극적으로 넓혀가고 있었다. 그들의 노력이 결실을 맺어 전주는 책의 도시로 성장하고 있다고 한다.

돌아보니 우리는 몇 년째 '사업의 시작'만 고민하고 있었다. 왠지 사업이라고 하면 공간도 필요하고 자본금도 있어야 할 것 같았다. 전업주부인 우리에게는 그 말이 너무 거창하게 들렸다. 어쩌면 누군가가 깃발 들고 '나를 따르라'라고 외쳐주길 기다리고 있었는지도 모르겠다. 그러면서도 막상 무엇을 하고 싶고, 무엇이 되고 싶은지 함께 의견을 나누지도 않았다. 거창한 '시작'만 생각하고 있었다. 우리의 고민을 들은 선생님은 말했다.

"어쨌든 시작해야 뭐라도 만들 수 있어요. 우선 시작부터 해요."

그랬다. 우리는 일어설 생각도 안 했고 발을 떼는 건 상상하지도 못했다. 서지도 못하면서 멋지고 비싼 신발을 신고 뛰어보려고 거창하게 계획만 하다 신발값이 비싸다며 포기하고 있었다. 똑바로 서는 것부터 해보고, 설 수 있으면 걸어보고, 다음엔 잘 뛰어서 목적지에 도달하는 것이 중요한데 정작 중요한 것은 잊고 있었다. 금암 도서관 다음에도 일정이 더 있었지만 이미 얻을 수 있는 것을 다 얻은 기분이었다. 견학을 마치고 헤어질 때 선생님은 한 번 더 힘주어 말했다.

"10년간 정말 쉽지 않았어요. 너무 힘들어서 포기하고 싶은 순간도 많았는데 좋아하는 일이라서 계속할 수 있었어요. 그림책 좋아하신다면 당장 시작해보세요."

며칠 뒤 우리는 모였다. 몇 년째 만나는 사람들이지만 새로운 마음이었다. 모임 이름을 정했고 로고도 만들었다. 여러 의견이 부딪쳤지만 서로 알아 온 7년이라는 시간이 무난히 넘어갈 수 있게 해주었다. 모임이 만들어지고 규칙이 만들어지자 당장 그림책을 읽어주는 공연을 했다. 그림책 유튜브 채널도 열었다. 그동안 넘치는 열정을 어떻게 참고 살았나 싶을 만큼 새로운 일을 계속 벌였다. 겨울이 끝날 무렵 그림책활동가들[같이, 봄]은 지역 공동체 라디오에서 그림책을 소개하기 시작했다. 4월에는 마을공동체 사업에 선정되어 바라던 사업을 할 수 있게 되었다. 작가와의 만남도 하고, 그림책 콘서트도 열고, 공개방송도 했다. 고민하던 제작비는 시의 지원을 받았다. 조금 알려지기 시작하니 강의 의뢰도 들어오기 시작했다. 그러면서 몇몇 작가와 그림책 출판사들과 친분도 쌓아가고 있다.

우리는 출발할까 망설이며 몇 년을 보냈다. 막상 달리기 시작하니 막연하게 꿈꾸던 일들이 현실로 펼쳐졌다. 어쩌면 함께라서 더 좋았을지도 모르겠다. 그러나 혼자라도 괜찮다. 혹시 시작을 망설이고 있다면 일단 해보라고 말하고 싶다. 특히 좋아하는 일이라면 더욱더.

애도의 한 주를 지나가며

한박

화요일에 루가 상주인 장례식장에 다녀왔다. 루는 심적으로 친언니 같은, 소중한 사람이다. 루의 아버지는 와병 중에 심장마비로 돌아가셨다. 내 어깨에 얼굴을 묻고 오래 울던 언니를 잊을 수가 없다. 그렇게 오랫동안 꼭 끌어안은 적이 있었나 생각해보니, 한 번도 없다. 마음으로도 꼭 끌어안고 같이 울었다. 루가 아버지랑 얼마나 친했는지 알고 있다. 병세가 계속될수록 힘들어하는 병자와 그를 보는 다른 가족들의 아픔도 모르지 않았다. 아버지가 없는 세상을 먼저 경험해 봐서 그런지 이제부터 루의 하늘 아래 아버지가 없다는 것이 어떤 의미로 다가올지 알 것 같았다. 하지만 모르는 마음이기도 했다. 내겐 존재하지 않은 30년 때문이다. 나의 아버지는 겨우 40대 중반의 나이에 세상을 떠났다. 아버지가 병환으로 고생하는 모습을 보지 못했다. 기력이 없는 노령의 아버지에게 보양해 드릴 기회가 없었다. 아버지가 70대가 되도록 함께 있을 수 있었던 루가 부럽기도 했다. 루는 엄청난 슬픔 속에 있었지만, 충분히 애도하고 있었고 문상객들은 루의 가족들에게 위로가 되었다. 비통하면서도 아름답다고 생각했다. 루의 가족들은 아버지 없는 삶을 잘 견뎌 나갈 것이다. 나의 가족도 그랬으니까.

토요일엔 내가 사는 시에서 대참사가 났다. 제방이 무너지면서 토사가 지하차도를 덮쳤다. 순식간에 빨려든 흙탕물 때문에 시내버스에 타고 있던 사람들은 물론 뒤따르던 자동차 안의 사람들 14명이 죽었다. 서로 도와 살아남은 사람들이 있었던 건 기적이었다. 그러나 죽은 사람들은 그 기적을 경험하지 못했다. 명백한 인재였다. 사람이 사람을 죽게 했다. 죽지 않을 수 있었던 사람들이 쏟아지는 흙탕물 속에서 유명을 달리했다. 누가 조악한 토사를 쌓아두고 그것이 범람 예방이라고 했는지 책임을 물어야 했다. 조사반이 꾸려지고 수사에 착수했지만 죽은 자는 돌아오지 못한다. 누군가와 끌어안고 슬픔을 나누지 못하게 됐다. 유가족의 시계는 거기서 멈췄다. 완전한 위로를 얻기도, 충분한 애도도, 삶을 정상적으로 이어 나가기도 어렵게 됐다. 너무도 비참한 죽음이었다. 뉴스에서는 연신 물에 잠긴 지하차도를 비추었다. 늘 지나다니던 길이었다. 아무리 생각해도 믿을 수가 없었다.

자주 연락하지 않는 지인들을 포함해 다수의 사람에게 문자를 받았다. "뉴스에 거기가 계속 나온다", "너는 괜찮냐?". '나는 괜찮아'라고 말할 때마다 머쓱했다. 안부를 확인하는 사람들에게 부정적인 감정은 없다. 그러나 아무도 괜찮지 않은 죽음 앞에서 괜찮다고 말하고 있는 나에게 이물감이 느껴졌다.

그다음 주 화요일엔 서울 모 초등학교 교사가 교실에서 죽었다. 젊은 나이에 극단적 선택을 한 이유가 고스란히 드러났다. 하지만 정확한 가해자는 없고 죽은 자는 더 이상 말이 없으며 유족들은 억울함과 황망함을 동시에 짊어지고 카메라 세례에 몸살을 앓고 있다. 학교 안팎으로 영면을 기원하는 글과 위로의 문구가 나붙었지만 죽은 자는 볼 수 없다. 임용을 보기 위해 머리카락 질끈 묶고 책상에 파묻혀 공부했을 시간은 허망하게 흩어지고 말았다. 인스타그램에는 추락한 교권에 대한 애도가 함께 이어지고 있다. 1학년 담임이었다는 새내기 교사는 어린 나이에 온몸에 기름을 끼얹고 자기 몸에 불을 붙인 청년을 떠올리게 한다. 그가 교실에서 자살하지 않았다면 이 사건은 모두의 공분을 사지 못했을 것이다. 교권 침해가 심각한 수준에 이르렀으니 도와달라던 젊은 교사들의 외침을 모른 척했으면서 이런 일이 벌어지고 나서야 사람들은 눈길을 돌리기 시작했다. 게다가 그렇게 목숨을 끊은 사람이 한 사람만이 아님을 아는 계기도 됐다.

그 슬픔이 채 가시기 전에 또 다른 기사를 접했다. 이번에는 수해 지역에서 수색작업을 펼치던 젊은 해병대원이 물에 빠져 숨졌다. 구명조끼를 걸치지 못한 채였다. 배에 탄 병사들에게는 구명조끼가 지급됐는데 걸어서 수색을 펼친 대원들에게는 구명조끼가 주어지지 않았다. 한 해 국방비가 50조 원이 든다는데 만 원짜리 구명조끼를 돈이 없어 못 샀다는 말이 외계어처럼 들렸다. 강의 수위가 장병들 가슴까지 올라온다는 현장 상태를 보고받고도 수색을 강행시켰다는 증언과 사망자가 배영을 할 줄 몰라서 빠져나오지 못했다고 말하던 군 관계자의 해명에 손이 벌벌 떨렸다.

뉴스에서 다뤄질 때마다 입을 딱 벌린 채 화면을 응시했다. 이걸 말이라고 하는 것인가. 어떻게 이런 일이 벌어질 수 있는 것일까. 무엇을 수색하려 인력을 투입했나. 사람이 사람을 죽이고 있다.

한 주 동안 밀어닥친 죽음들에 망연해하다가 무엇이 우리를 이렇게 만들고 있는지 고민했다. 하지만 뾰족한 결론에 이르지 못했다. 나는 모르는 게 너무 많았고 세상의 말은 너무 날카롭고 뾰족하기만 했다. 사람들은 무엇이 더 중요한지도 모르고 너무 쉽게 화만 내고 있다. 인간은 누구나 죽지만 이런 죽음은 안 될 말이다. 소거된 인간 존중 때문에 일어나는 참극은 이제는 막아야 한다. 눈을 크게 뜨고 주위를 살피며 내가 책임자는 아니지만 '부당을 찾아내기에 적임자'라는 생각으로 살아야겠다. 무엇보다 문제의식을 느끼고 알아내야 한다. 그 어떤 직업군도 감정적으로 학대받다가 살해당하는 일이 없었으면 좋겠다. 안전이 보장되지 않았다면 그 어떤 자리에도 사람이 투입되지 말았으면 좋겠다.

루의 아버지는 와병 중 영면에 들었다. 헤어짐은 무슨 이유에서든지 슬프기 마련이라 아버지를 잃은 딸을 아직도 온전하게 위로할 순 없겠지만 오랫동안 아팠던 고인이 더 이상 병고를 짊어지지 않아도 되니 유가족들도 차차 안정을 찾을 것이다. 자연의 섭리 앞에서는 남은 사람이 숙연하게나마 미래를 다짐할 수 있다. 최선을 다해 살았던 아버지의 생전 모습을 그리워하면서 매년 추모할 수 있다.

그러나 뉴스에서 본 죽음들은 영원한 비통에 젖어 있을 것이다. 충분히 막을 수 있었던 죽음이었기에 온 세상이 분노한다. 유족의 시간은 그대로 멈춰 있고, 억울한 죽음을 맞이한 자와 관계한 모든 사람은 슬픔에서 벗어날 길을 알지 못한다. 아무것도 해결되지 않은 지난한 투쟁 속에서 진상 규명이라는 기약 없는 싸움을 해야 할 것이다. 살아남아서 다행이라는 싸구려 위안 말고, 우리 모두의 책임이라는 얼렁뚱땅 감성팔이 말고, 정확한 책임자를 찾아내 처벌하기를 원한다. 그것이야말로 모두가 할 일이며 진짜 애도다.

누군가 목숨 걸고 투쟁하지 않아도 우리는 안전해야 한다.
이 '당연한' 문장이 죽지 않을 수 있었던 사람이 죽어,
몸으로 쌓아 올린 것이라는 사실을 떠올린다.

장일호,『슬픔의 방문』 중에서

”

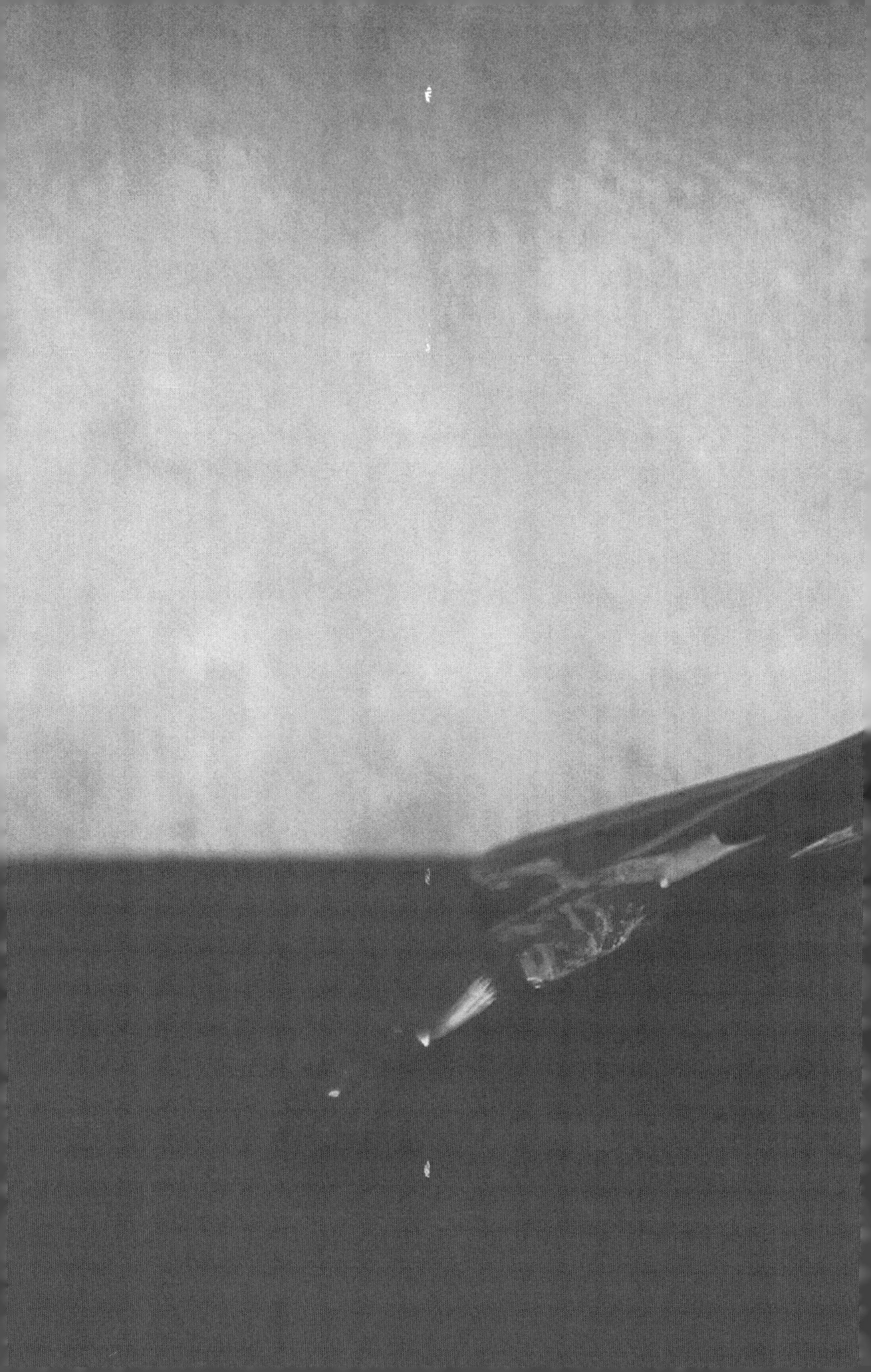

거울 속으로

자라가 준 구슬

해야

<자라가 준 구슬>은 『삼국유사』 '원성 대왕' 편에 실려있다. 어린 중 묘정이 배고픈 자라에게 매일 밥풀을 먹이다 구슬을 받았는데 그 구슬은 신묘하여 모두가 묘정을 아끼고 사랑하게 했다. 구슬을 지닌 묘정은 요즘 말로 핵인싸가 되었다. 묘정의 인기는 날로 치솟아 중국 황제 앞에까지 가기에 이르렀는데 알고 보니 그 구슬은 황실에서 잃어버린 물건이었다. 구슬을 되돌려 준 묘정은 다시 별 볼 일 없는 아싸가 되고 만다는 이야기다.

인간은 사회라는 공동체 속에서 나를 인식하고 가치를 세워가는 존재다. 그러나 사회적 평가에 앞서 먼저 자기를 긍정해 주는 것이 필요하다. 하지만 예전에 나는 그렇게 하지 못했다. 열등감에 빠져 소중한 마음을 놓치고 말았다.

"해야, 소개해 줄 친구가 있는데, 네가 좋다고 며칠 동안 아주 난리다. 좀 만나줘라."

고등학교 2학년. 어릴 때부터 동네 친구인 K가 우리 반, 내 자리에 찾아와서 하는 말이다. 나는 이 뜬금없는 말이 무슨 말인가 싶어 K를 쳐다봤고, K는 등 뒤에 숨어있는 친구의 손목을 끌어다 내 앞에 세웠다. 유독 하얀 얼굴에 깊은 쌍꺼풀이 있는 키가 작고 귀여운 친구 A였다. 한 번도 같은 반이 된 적은 없지만 K와 붙어 다니는 친구라 얼굴은 더러 보았다. 그 친구는 정성껏 쓴 편지를 내 책상 위에 올려놓고는 K의 등을 밀며 자기 반으로 달아났다. A의 편지를 읽고 답장을 쓰는 순간부터 우린 순식간에 책의 중간 페이지를 건너뛴 듯 절친이 되었다. 학창 시절의 나는 자존감이 낮고 자존심만 세서 웬만하면 드러내지 않는 것으로 자신을 보호하는 소심한 학생이었다. 혼나는 게 싫어 선생님 말씀 잘 듣고 학칙을 칼같이 지키는 보수적이고 재미없는 학생. 아이들은 쉽게 드나드는 교문 밖 구멍가게도 못 가는 답답이가 나였다. A가 어떤 점에 호감을 품었는지 모르겠지만 이런 나에게도 고백하는 친구가 있다는 사실이 자라가 준 구슬처럼 으쓱하게 했다.

A와 함께 지내며 알아가는 세상은 내 경험치를 넓혀주었다. 책 읽기가 유일한 취미였던 나에게 A는 당시 유행하던 팝송도

들려주고 연예인 덕후의 삶도 엿보게 해 주었다. A는 뉴키즈온더블록을 좋아해 내 앞에서 <스텝 바이 스텝>을 목청껏 불러대고 그들의 소식을 부지런히 공유했다. 주말이면 우리끼리 영화관도 다녔는데 그때 본 <사랑과 영혼>은 내가 극장에서 친구와 같이 본 최초의 영화였다. A는 쉬는 시간이면 찾아와 애정 담긴 쪽지를 주고, 내 눈엔 너만 보여 같은 오글거리는 말을 잘도 하며 나를 웃겼다. 지치지 않는 에너지로 빈틈없이 내 하루를 채워버리는 친구였다.

활달한 A와 함께 보내는 날들은 새로운 경험으로 가득했다. 다른 친구들은 이렇게도 노는 구나! 새삼 깨닫는 것도 많았고 애써 처음인 티를 내지 않으려 부지런히 A를 쫓았다. 우리는 지금으로 치면 연예인 굿즈를 사기 위해 야간 자율학습 시간에 웃돈을 얹어 초코파이 장사도 했다. 그때는 A의 관심과 사랑에 흠뻑 빠져선 하루하루가 신났다.

학년말, 그런 우리 사이에 제동이 걸렸다. 우리 학교는 기말시험을 치고 나면 전교생 등수를 대자보에 기록해 일주일간 복도 벽에 붙여 놓았다. 성적이 좋지 않은 나는 그 대자보가 길거리 낯뜨거운 포스터처럼 싫었다. 그래도 안 볼 수는 없어서 벽 앞에서 전체 성적표를 쓱 훑고 있었다. 그런데 상위권에 A가 있었다. 나와 같이 놀기만 했는데 어찌하여 성적까지 좋단 말인가! A의 성적은 중국 황제가 묘정에게 구슬을 빼앗아 가듯 내 마음을 억울함과 질투로 변질시켰다.

마음의 방향이 고개를 틀자 A와 나의 관계가 달리 보이기 시작했다. A와 지내는 동안 나는 읽고 싶은 책을 읽는 대신 좋아하지도 않는 연예인 사진이나 찾으러 다녀야 했다. A가 불러대는 팝송을 귀가 아프도록 들어야 했고, 다른 친구들과는 서서히 멀어졌다. 나의 하루가 온통 A의 선택과 취향 속에 놓여 있었다. 나는 정신없이 A를 쫓아다녔고 그 아이에게 인정받기 위해 최선을 다했다. 거기에 나다움은 없었다. 이렇게 나를 잃어가며 A에게 맞춰주었는데 A는 나를 위해 잃은 것이 하나도 없는 듯했다. 우정이나 사랑에는 손익계산을 하는 게 아니라지만 자꾸만 손해 본 것 같은 마음은 어쩔 수 없었다.

쉬는 시간에 A를 기다리는 대신 책을 다시 집어 들었다. 반이 다른데도 찾아와 함께 다니던 화장실을 더 이상 같이 가지 않았다. 쉬는 시간마다 내 책상 위에 놓고 가는 쪽지에 답장을 쓰지 않았고 그렇게 일방적인 관계 정리에 들어갔다. A도 눈치를 챘는지 찾아오는 빈도수가 줄어들었다. 그렇게 우리 사이엔 점점 벽이 생겼다. A는 K와 함께 다니기 시작했고 자기혐오에 빠진 나는 한동안 혼자의 시간을 견뎠다. 나는 스스로에게 잔뜩 화가 나 있었다. 아니, 친구의 재능이 왜 화가 날 일이냐고! 쪽팔리게 왜 질투가 나냐고! 아니면, A가 먼저 나의 세계를 두드렸다는 이유로 이 판의 주인공은 나여야 한다는 오만함이나 우월감이 있었던 걸까? 무엇을 생각하든 못난 꼴값에 나는 어찌할 바를 몰랐다.

타인의 인정에 목말라하던 학창 시절의 나라면 모든 사람의 관심과 사랑을 얻을 수 있는 자라가 준 구슬이 무척 탐이 났을 것이다. 하지만 이제는 스스로 찾아가는 행복에 더 집중하려 한다. 흔히 타인은 나를 비추는 거울이라고 하지만 실상은 수시로 흔들리는 물결일 뿐이다. 자기 자신을 깊이 있게 이해하고 성찰하며 아끼는 마음이야말로 나를 성장하게 하는 진짜 거울이다.

묘정은 원래 우물에서 헤엄치고 있는 자라를 관찰해 배고프다는 것을 알아채고 매일 먹을 것을 챙겨주는 세심한 아이였다. 더불어 성실하고 배려심이 깊었다. 굳이 자라가 준 구슬이 아니더라도 자신만의 장점으로 빛이 나서 사랑을 받기에 충분한 성정의 소유자였다. 나 또한 단점만을 부각해 스스로 열등감과 죄책감에 빠졌던 시절도 있었지만 그런 시간이 나를 더 깊이 이해하게 만든 시간이었음을 깨닫는다. 나는 그런 고약하고 나약한 나를 조금씩 떠나보내며 성장하고 있다.

순수한 우정을 주었던 친구 A에게 내내 미안했다. 늘 행복하게만 보였던 A였지만 내가 모르는 곡진한 사연이 많았고 우리가 헤어진 다음 해에 가족을 잃는 아픔을 겪기도 했다. 지금도 친구를 생각하면 마음이 아리고 눈물이 난다. 나에게 준 사랑을 우정으로 키워내지 못한 그 시절의 안타까움은 여전하다. 하지만 어려움 속에서도 밝고 씩씩했던 친구는 잘살고 있을 거라 믿는다. 가닿지 못할 사과여도 진심을 담아 전한다.

"친구야, 미안했고, 어디에 있든 행복해라."

오늘 밥상 이상 무(無)!

한박

아들에게 사진을 한 장 받았다. 둥글고 큰 접시에 밥 조금, 서너 개의 반찬이 소량 올려져 있고 옆에는 국 하나. 아들이 회사에서 먹어보는 첫 번째 점심 식사를 찍어서 전송한 것이었다. 밥도 고슬고슬하니 맛있어 보이고 반찬도 너비아니에 소시지, 나물, 김치까지 구색이 나쁘지 않았는데 나는 슬픈 생각이 들었다.

- 오, 밥 먹는 거야? 맛있어?

- 아니. 별로 맛이 없어.

- 그래도 먹어. 그거 안 먹으면 저녁까지 배고플 거야.

- 응, 엄마는 뭐해?

- 엄마는 일하지. 근데, 슬프네

- 왜?

'파이팅'이 담긴 이모지 하나를 보내고 대화를 마무리한 건 정말로 슬퍼서였다. 고등학교 2학년인 아들은 작년에 도제반을 선택했다. 특성화 고등학교는 대입반과 도제학교(도제반) 중 하나를 골라 각자 다른 교육을 받는다. 도제학교는 1학년 2학기에 신청을 받아 6개월간 취업 훈련을 시킨 후 2학년 2학기부터 학교와 계약된 회사에 학생 근로자를 내보낸다. 한번 도제반을 선택하면 졸업할 때까지 바꿀 수 없으며 반드시 취업해야 한다. 워낙 공부엔 뜻이 없는 아이였지만 생각이 변해 대입을 희망할지도 모른다는 막연한 기대감이 있었는데 아들은 뚱딴지같은 소리 말라는 듯 확실하게 도제반을 선택해 버렸다. 아빠 회사에서 학자금을 지원해 준다는 말도 소용없었다. 아이가 엄마 뜻대로 자랄 수 없다는 걸 알면서도 서운했다. 나중에라도 대학에 가려면 얼마든지 갈 수 있다는 주변 사람들의 말이 무색하게 아이는 확고했다. 도제반이 되어 자격증 공부에, 자기소개서 쓰기 훈련, 면접 준비에 바쁜 나날을 보내다가 기어이 어떤 제조업체와 근로계약을 맺었다. 아이의 싸인 옆에 내 도장이 꽝꽝 찍혔다. 날짜는 착착 다가왔고 아이는 공장으로 갔다. 그리고 첫 번째 점심밥을 찍어서 엄마에게 보낸 것이다.

나의 슬픔은 비참에 가까웠다. 돌이킬 수 없다는 체념에 가까웠는지도 모르겠다. 모든 부모가 그랬을 테지만 누구보다 잘 키우고 싶었다. 1등까지는 아니더라도 12년 열심히 공부하다가 대학까지 골인하는 이른바 평범한 학창 시절을 소망했다. 아니 당연히 그럴 거라 믿고 살았다. 공부를 버거워하는 걸 알았지만 기어이 공업고등학교에 가겠다고 선언했을 땐 정말 충격이었다. 인문계 이외의 학교는 선택지에 있지 않았다. 친한 자모 중 누구도 나와 같은 고민을 하지 않았다. 그들과 내가 다른 결정을 내려야 한다는 게 믿어지지 않았다.

그러다가 문득 내 학창 시절을 떠올렸다. 나 역시 공부가 너무 싫어서 죽고 싶었던 적도 있었다. 뒤늦게 대입에 집중했지만, 문학을 향한 설레발과 젖은 장작 같은 간헐적 창작욕에 매료됐을 뿐 학업의 연장으로 대학을 선택한 게 아니었다. 공고에 진학하고 싶다고 애원하는 그 눈길에 내 얼굴이 스쳤다. 엄마의 고집을 꺾지 못하고 인문계에 진학해 오랫동안 방황하던 열일곱의 내가 보였다. 내 아들이 나 때문에 불행하면 안 되겠지, 이제는 내가 어쩌지 못하니 믿고 맡기자는 생각에 특별전형 원서 제출을 허락했다. 아들은 기뻐했고 친구들과 당당하게 면접을 보러 다녀왔다. 면접을 준비하면서 고무되던 얼굴을 잊을 수 없다.

그러나 마치 예정된 절차였던 것처럼 아이도 고교생활에 적응하지 못했다. 학교는 멀었고, 실습은 어려웠다. 그러면서도 하교는 너무 빨랐다. 남는 시간이 많아지니 탈선의 기회도 많아지는 것 같았다. 자퇴시켜달라는 말을 습관처럼 했다. 그럴 때마다 가슴이 무너졌다. 혼도 내고 용돈도 끊어보고 달래도 보고 울어도 봤다. 자퇴는 허락할 수 없었다. 학교를 관둔 후에 자기 인생을 책임질 청사진이 아이에게 없었다. 학생 신분은 아들에게 최후의 보루였다. 아이의 주변에 학교를 등지는 친구들이 늘어났다. 불안이 끝없이 밀려들었다. 밀고 당기는 긴장이 팽팽하게 유지된 채로 시간은 더디게 흘렀다.

취업이 결정되고 며칠 동안 나는 밤에 잠을 이루지 못했다. 아무리 마음을 다잡아도 고2짜리 아들이 벌써 돈을 벌러 나가야 하는지 이해할 수 없었다. 사람들이 생각하는 고등학생의 모습과 내 아이가 다르다는 점을 인정하기 싫었다. 돈 같은 거 생각하지 않고 천진하게 학창 시절을 즐겼으면 좋겠다는 마음이 사라지지 않았다. 시험 기간에 공부하는 아이와 같이 밤을 새우느라 힘들었다는 또래 엄마들이 부러웠다. 할 수만 있다면 다시 돌아가 아들을 설득하고 싶었다.

게다가 무려 1년 6개월의 계약기간은 너무 길게 느껴졌다. 졸업 때까지 꼼짝없이 한 곳에서만 근무해야 한다는 게 강압처럼 느껴졌다. 그즈음 책과 영화에서 부당한 일을 당하거나 난감한 작업환경에서 저항할 수 없었던 아이들의 이야기를 알게 됐다. 회사에 노동강도 조정을 요구하면 학교에서 아이들을 협박했다. 졸업하기 싫으냐고 으름장을 놨다. 위험한 일을 하다가 억울한 죽음을 맞기도 했다. 점점 공포가 심해졌다. 불안이 구토증세까지 몰고 왔다. 밤을 새우다시피 하고 일어나자마자 선생님께 전화를 걸었다. 실습 기간 내 일어난 고교생 사건 사고를 들었기에 불안해서 전화했음을 정중하게 알리고 정말 그런 일이 없겠는지, 행여 우리 아이가 여타의 사정으로 근무를 이어갈 수 없을 때 학교로 복귀할 수 있는지 물어보았다. 담임 선생님은 도제학교의 좋은 점을 주지시키며 이미 선배들이 일과 학업을 병행하고 있기에 괜찮을 거라고 설명했다. 전화를 끊은 후에도 모종의 불안이 완전히 사라지지 않았는데, 내 사정과 관계없이 출근 날은 임박했다. 그러나 시키지도 않았는데 교통편을 찾아놓고 휴대전화 알람이 미덥지 않아 나에게 깨워달라고 부탁하는 아들을 보면서 내 두려움을 다독였다. 불안을 자초하지 말자 했다. 그런데도 아들의 밥상은 슬펐다.

물론 나는 알고 있다. 이제 내가 할 수 있는 것은 무사히 이 기간들을 잘 마칠 수 있도록 빌어주는 것과 진심을 담아 건네는 적당하고 덤덤한 응원과 엄마가 필요할 때 내가 여기 있겠노라, 말해 주는 일 정도란 것을. 선택을 존중하고 경험으로 배움을 완성할 아이를 잠잠하게 기다려줘야 한다는 것도.

불안의 근원도 잘 알고 있다. 요즘의 내 심란들은 극성스러운 엄마라서가 아니라 도래할 어떤 앞날을 위한 기도이다. 걱정과 근심이 사랑하는 마음보다 앞서 있어서 불안이 온 마음을 휘감았지만 이제 나는 두 손을 맞잡고 무릎을 꿇는다. 염려에 염원을 섞어 서툴게 다시 기도를 쌓는다.

그러면서 다짐한다. 일어나지 않은 일에 불안을 주워 담거나 일어나 버린 일에 후회를 구겨 넣지 말자고. 실상 내 아이는 가족의 생계를 위해서 일터에 나간 게 아니라 대한민국 교육과정 중 하나를 건너가고 있다. 중간고사와 모의고사를 준비할 시간에 공업에 관련된 자격증과 실무를 준비하고, 대입을 위해서가 아니라 직업인이 되기 위한 과제를 수행하는 중이다. 흘러가는 시간 속에서 차근차근 걷다 보면 배움의 가치를 경험할 날이 올 것이다. 행여 지금의 선택을 후회한다고 해도 돌이켜 새롭게 시작하면 된다. 아이는 아직 어리고 젊다. 다치지만 않는다면 충분히 값진 경험이다.

아들의 점심 식사는 이어지고 있고, 앞으로도 그럴 것이다. 어쩌면 너무 맵고 짠 혼돈의 점심 식탁에서 어리둥절할 날이 올지도 모른다. 때때로 근로의 고단으로 입맛을 잃을지도 모르고. 그럴 때는 '좋아하는 삼겹살 볶음밥 해놓고 기다릴게' 하며 '쓰담쓰담' 이모지를 보내줄 것이다. 반찬이 취향 저격이라서 신난 얼굴로 사진을 보내오는 날이면 깔깔 웃는 이모지를 섞어 나도 먹고 싶다고 너스레를 떨어 줘야지.

근로소득세를 내는 열여덟 살 아들의 엄마가 되는 건 나도 처음이라 허둥댔던 밤들을 떠올린다. 나는 그것을 슬픔의 다른 이름으로 불렀다. 그러나 이제는 나도 준비가 되었다. 어엿하고 든든한 엄마가 될 준비. 더 성장할 아들을 기대하고 기다릴 준비. 혹여 세상에서 일어나는 온갖 고통스러운 일이 우리 아이를 공격하지 않도록 공부하면서 응원해 줄 준비가 이제 되었다. 슬픈 마음에 사랑하는 마음을 더하는 방식으로 나도 점차로 단단해진다.

"오늘 밥은 어땠어? 맛있었어?"

팽팽한 지적 긴장감을 유지하며 산다는 것

골방지기

고등학교 2학년 때 담임 선생님은 국어 담당이었다. 말투는 문학 소년이 시를 읊듯이 다정했지만, 실상은 대한민국 입시제도에 최적화되어서 성적 지상주의를 지향하는 흔한 고등학교 선생님이었다. 그나마 가끔 교과서에 없는 책 속 문장을 꿈꾸듯이 읽어줄 때면 왕년에는 문학을 좋아해서 국어 선생님이 되었겠구나 추측할 따름이었다.

어느 가을, 선생님은 '피천득' 수필을 주제로 수업했다. 피천득의 문장을 읽어주며 얼마나 아름다운지 강의했는데, 끝나고 난 후 '항상 팽팽한 지적 긴장감을 유지해야 한다.'라는 말만 기억에 남았다. 결론은 지적인 긴장감을 팽팽하게 유지하면서 학습해야 더 좋은 대학에 갈 수 있다는 것이었음에도 어쩌면 공학도를 꿈꾸는 열일곱 살 여고생에는 그 문장이 꽤나 지적이며 낭만적으로 들렸나 보다.

이후로 '팽팽한 지적 긴장감의 유지'는 나의 좌우명처럼 중요한 문장이 되어버렸다. 언제나 새로운 것을 배우길 원했고 먼저 알기를 바랐다. 그러는 사이 지적 쾌감은 점점 줄었고 '남들보다 더 많이 더 빨리 알아야 한다'라는 강박감만 늘어났다. 나는 강박을 파트리크 쥐스킨트의 소설 제목을 빌어 '깊이에의 강요'를 받는 상태라고 포장했고 이제는 더 깊이 알아야 한다며 채찍질했다.

문제는 나이가 들어가면서 나타나기 시작했다. 지적 긴장감이라는 것을 너무 오래 유지하고 사느라 머릿속에 피로감이 가득 차버렸다. 정보는 과잉 상태이며 정리가 전혀 되지 않은 채로 쌓여서 두뇌 어딘가에 널브러져 있었다. 언제부터인가 내 뇌는 번 아웃 상태가 되어버린 것이다. 새로운 것을 배우고 깊이 이해하는 것은 어려워졌고 계속 짧은 단기기억만 가지고 사는 것 같았다. 40대 초반, 회사를 그만둘 무렵에는 상태가 너무 심각해서 치매 검사까지 받았다. 물론 결과는 정상이었지만.

그 증상이 잠시나마 호전된 것은 회사를 그만두고 '더 넓게 알기'를 그만두고 나서였다. 세종시로 이사 와서 한동안 아이들과 신나게 놀면서 이사 온 동네 여기저기 돌아다니는 것을 즐겼다. 단순한 하루를 보내며 뇌에 쉴 수 있는 시간을 주니 정리가 되기 시작했다. 덩달아 집안이나 책상 위 같은 주변도 정리되기 시작했다. 그런데 그것도 잠시였다.

큰아이가 초등학교에 입학하자마자 나는 그림책 읽어주는 학부모 동아리에 가입했다. 그림책 작가를 공부하고 다양한 세계의 그림책을 알아가면서 오랜만에 느껴보는 지적 쾌감에 신났다. 새로운 정보를 찾아서 모으고 공부하고, 연관된 자료를 또 찾고 모으고를 반복했다. 저장되는 내용이 급격히 늘어나면서 읽기를 미루고 쌓아두는 것들이 생겼다. 맛있는 음식도 과하면 체하기 마련인데, '더 많이 알아야 한다'라며 욕심을 부린 탓에 또 과부하에 걸렸다.

나의 뇌는 다시 온갖 잡다한 것이 쌓인 책상처럼 어지러워졌다. 정작 필요한 것은 찾지 못했다. 그건 책상 위나 싱크대 속 같은 공간도 마찬가지였다. 컴퓨터 하드디스크에서도 중복으로 내려받은 디지털 자료들이 여기저기 쌓여서 정작 필요한 것은 찾을 수가 없었다. 그것은 코로나를 겪으면서 더욱 심해졌다. 휴대전화를 들고 있는 시간이 많아졌고 SNS를 더 자주 보게 되었다. 집중력은 사라졌고 경중을 알 수 없는 정보만 쌓였다. 쉽고 요약된 짧은 정보만 이해되고 소설책처럼 긴 글은 읽기 힘들어졌다.

팽팽한 지적 긴장감은커녕 최소한의 지적인 상태도 유지하지 못하고 있었다.

이대로는 안 되겠다 싶었던 것은 『도둑맞은 집중력』(요한 하리, 2023)을 읽으면서였다. 저자는 집중력을 잃어가는 현대인들의 모습을 고스란히 책 속에 그려놓았다. 나는 자의 반 타의 반으로 14일 동안 매일 한 장씩 읽었다. 천천히 읽으니 책의 내용이 깊이 다가오며 차근차근 정리되는 시간이 생겼다. 책에서는 첫 번째 장부터 짧은 시간에 너무 잦은 멀티태스킹을 하게 되면 어떻게 집중력이 떨어지는지 설명하고 있다. 딱 내 모습이었다. 알고리즘 추천이라는 이름으로 제공되는 숏츠 영상에서 무한 스크롤 중인 모습도, 만성적인 각성상태로 집중력을 잃어버리고 긴 소설은 읽지 못하는 상태가 된 것도 모두 나였다. 책에서 설명하는 다양한 문제 현상이 모두 나를 가리켰다. 이 주 동안의 책 읽기가 끝날 무렵 나는 조금씩 달라지려고 노력하고 있었다.

휴대 전화나 태블릿 같은 모바일 기기를 멀리 두는 시간을 만들었고, 다시 아침저녁으로 일상을 기록했다. 당분간 뇌에 새로운 지식과 정보는 넣지 않기로 했다. 팽팽한 지적 긴장감 따위는 무시해버리기로 다짐했다. 정말 필요할 때만 공부하기로 했다. 그냥 단순히 알기 위해서, 지적 허영심을 만족시키기 위한 정보 습득과정을 '하지 않는' 연습을 시작했다.

주변도 정리해야 했다. 제일 먼저 책상이 눈에 띄었다. 제자리를 찾지 못한 책들과 정체를 알 수 없는 문서(대부분 버려도 되는)로 빈틈이 없었다. 컴퓨터 속에도 10년 넘게 저장한 데이터들이 가득했다. 디지털 자료 특성상 1~2년만 지나도 쓸모없어지기에 대부분 의미 없는 것들이었다. 그제야 알았다. 언제부터인가 나는 지적 긴장감을 유지하기 위해서 배우는 거나 정보를 찾는 게 아니었다. 단순히 정보수집 강박증에 걸린 사람으로 변해 있었다. 그냥 호더(Hoarder)였던 것이다. 열일곱 살, 공학도를 꿈꾸는 여고생에게 퍽 낭만적이어서 잊을 수 없었던 한 문장, '팽팽한 지적 긴장감'은 살아가면서 강박증으로 바뀌었다. 원인을 알았으면 변하기 위해 무언가를 해야 했다.

나는 책상 옆으로 쓰레기 봉지를 가져다 두고, 서류 대부분을 버렸다. 책들을 제자리에 꽂고 몇 년째 쓰지 않아 말라버린 사인펜들을 모두 버렸다. 컴퓨터의 자료도 정리했다. 이틀 내내 버리고 정리하니 책상 위에는 책을 놓고 읽을 자리가 생겼다. 하드디스크 용량이 부족한 줄 알았던 컴퓨터도, 필요 없는 자료를 삭제하니 새 하드디스크를 살 필요가 없어졌다. 드디어 모든 것이 제구실하는 느낌이었다.

버리고 정리하니 공간이 생겼다. 책상 위에도, 컴퓨터 안에도. 물리적인 공간을 비우고 나니 머릿속도 말끔해지는 기분이다. 강박을 버린다는 것은 결국 미련을 버리는 용기는 아닐까? 나는 이제 욕심을 내서 채울 게 아니라 잘 버리고 잘 비우는 연습이 더 필요하다는 것을 알았다. 지금이 바로 그때다. 팽팽한 지적 긴장감보다는 느슨한 여유와 깊은 사유로 나를 채워보는 건 어떨까?

마침표, 또 다른 시작을 여는 문

글짓는앤

"맘마북과 함께한 우리를 위하여!"

여섯 개의 술잔이 한 데로 모아져 쨍하고 부딪쳤다. 유리잔이 부딪치는 소리는 마치 끝을 알리는 종소리처럼 들렸다. '맘마북'은 책모임에서 시작된 그림책 읽어주는 팟캐스트였다. 오늘이 맘마북 마지막이라는 생각에 술맛이 쓰다. 한 상 맛있게 차려진 안주에 곁들인 시원한 맥주를 쭉 들이켜니 기분이 나아졌다. 화기애애한 수다와 웃음소리로 가득한 토요일 밤은 그렇게 깊어갔다.

술자리를 끝내고 늦은 밤 집에 돌아왔다. 녹초가 되어버린 몸과 연이어 터져 나오는 하품 속에서도 쉽게 잠들지 못했다. 아쉬움 때문이었다. 핸드폰을 만지작거리다 맘마북 채널을 열어보았다. 2022년 1월 이후로 더 이상 새로운 콘텐츠는 없었다. 손님이 끊긴 어느 한적한 가게처럼 맘마북도 더 이상 찾는 이가 없었다. 몇 달 전과 다름없는 구독자 수(어쩌면 줄었을지도 모른다)와 조회 수가 맘마북의 끝을 확인시켜주고 있었다. 정체되어 있는 숫자를 보니 씁쓸했다. 재생 버튼을 눌렀다.

"엄마, 책 먹자!"

경쾌한 음악과 함께 들려오는 사랑스러운 아이들 목소리는 그때의 기억을 불러일으켰다. 엄마를 따라온 아이들은 인트로를 녹음하기 위해 옹기종기 모여 앉았다. 녹음기를 앞에 대자 아이들 얼굴은 강제로 무대 위에 선 듯 긴장한 표정이 역력했다.

"얘들아! 하나, 둘, 셋 하면 말하는 거야. 알았지?"

두 눈을 동그랗게 뜬 아이들은 신호에 맞춰 일제히 '엄마, 책 먹자'를 외쳤다. 이후로 아이들 목소리는 팟캐스트 맘마북의 상징이 되었다. 우리는 아이들과 그림책을 녹음했고 아이들은 맘마북 준회원 역할을 톡톡히 해냈다. 말썽꾸러기 남자아이가 되기도 하고 어느 날은 걸음마를 뗀 돌쟁이, 어느 날은 아웅다웅 다투는 형제자매를 연기하며 자신들의 목소리를 세상에 알렸다. 맘마북은 함께했던 아이들에게도 즐거웠던 추억으로 남아있다.

"우리 쉽게 책을 접할 수 없는 분들을 위해 목소리 기증을 해보면 어떨까요?"

2018년 5월, 책모임을 하는 회원들과 그림책 읽어주는 팟캐스트 맘마북을 시작하게 되었다. 가족을 위해 맛있는 밥을 짓는 엄마의 따뜻한 마음을 담아 그림책을 읽어준다는 의미에서 '맘마북'이라는 그럴싸한 이름도 지었다.

그림책 전문가를 모셔 공부도 하고, 그림책 낭독 연습도 하며 열심히 녹음할 준비를 했다. 많은 아이에게 그림책을 들려주고 싶다는 마음 하나로 호기롭게 새로운 세계로 뛰어들었다. 그때의 우리는 열정에 불타오르는 무모한 선인(善人)들이었다. 절대 숫자에 연연하지 말자던 말이 무색하게 회원들은 구독자 수와 조회 수가 높아질 때마다 단체 채팅방에 구독자 수 캡처 사진을 올리며 기쁨을 나누었다. 숫자의 높고 낮음에 우리는 일희일비했고, 어느 날은 구독자 수와 조회 수가 낮아진 원인을 파악해보려 애를 쓰기도 했다.

이름도 얼굴도 모르는 누군가가 우리 이야기를 들어준다는 건 생각보다 훨씬 큰 감동과 기쁨으로 다가왔다. 익명의 청취자 한 사람 한 사람이 진심으로 고마웠다. 역할을 정해 함께 녹음할 때면 마치 대본을 보고 마이크 앞에서 연기하는 성우가 된 듯한 기분이 들었다. 어떤 날은 웃음보가 터져서, 띠리링 핸드폰 소리가 나서, 또 어떤 날은 외부에서 들리는 소음이 심해서 녹음이 중단되고 NG가 나기도 했다. 한없이 초라했던 녹음본이 편집 과정을 통해 매끄럽게 잘 다듬어져 나올 때면 우리는 편집자의 금손과 디지털 문명을 찬양했다. 편집의 힘은 고도의 화장 기술만큼이나 놀라운 것이었다.

변변한 녹음실이 없어 도서관 공연장에 있는 협소한 기계실에서 옹기종기 모여 앉아 핸드폰으로 녹음했다. 회원 두 명이 편집 프로그램을 통해 음악을 넣고 우리 목소리를 자르고 이어 붙이며 내보이기 부끄럽지 않을 만한 결과물을 만들어냈다. 지금 생각해보면 편집 변신술을 통한 그럴싸한 완성물보다 부대끼며 함께했던 시간이 더 기억이 난다. 부족하고 모자란 부분들은 누가 먼저랄 것도 없이 나서서 채워주었던 시간과 우리가 나누었던 무수히 많은 이야기들을 오래오래 담아두고 싶었다.

맘마북의 성장은 보일 듯 말 듯 미미했으나 오디오북 시장은 하루가 다르게 쑥쑥 성장해 나가고 있었다. 대형 출판사들은 앞

다투어 오디오북을 만들었다. 그림책에 박힌 QR코드만 찍으면 누구나 쉽게 오디오북을 들을 수 있었다. 게다가 점차 강화되고 있는 저작권법으로 출판사의 허락을 받지 않고는 원하는 그림책을 녹음할 수 없게 되었다. 혹시라도 법적인 문제가 발생하면 우리의 노력이 물거품이 돼버릴 것 같았고 무엇보다 정정당당하게 이 일을 하고 싶었다. 출판사에 일일이 메일을 보내 저작권 허락을 받으려 했지만 대부분의 출판사는 이를 거부했다. 아무리 영리 목적이 아니라지만 팟캐스트에서 책 전문을 읽어주면 누가 책을 사겠냐고 되물었고 자체의 오디오북이 있는데 애써 저작권을 허락해 줄 필요는 없다고 말했다.

저작권이 허락된 몇 개의 출판사의 책들로만 녹음하기에는 분명 한계가 있었다. 사기도 열정도 조금씩 사그라들었다. 서서히 식어가는 우리의 열정보다 더 빠른 속도로 구독자 수와 조회 수는 떨어져 나갔고 언제부터인가 꾸역꾸역 구멍을 메우듯 녹음했다. 그렇게 시간이 흘렀고 사용하던 서버마저 2022년 7월 10일 오후 5시부로 서비스를 종료한다는 안내문이 올라왔다. 회원들 사이에서 한참 전부터 맘마북을 그만하자는 이야기가 나오긴 했지만 막상 공지된 안내문을 보니 강제 퇴거라도 당한 기분이었다.

이제 그림책을 읽어주던 맘마북은 60개월 만에 최종 종료되었다. 하루가 다르게 급변하는 세상은 사람들 기억 속에 맘마북을 붙잡아 두지 않을 것이다. 곧 시간 속에 묻히고 잊힐 테다. 누군가의 기억에 오래 남는 것이 사실 그렇게 중요한 일은 아니다. 어차피 우리는 기억하는 것보다 기억하지 못하는 것들이 훨씬 더 많은 사람들이니까.

우리가 닿지 못한 그 어디에선가 맘마북이 들려주는 그림책 이야기에 귀 기울인 누군가가 있었으니 그것으로 충분하다고, 우리가 쌓아놓은 소중한 추억들이 있으니 5년의 시간은 특별했다고, 그러니 더 이상 아쉬워하지 말자고 스스로를 위로해보지만 눈물이 났다.

사람이든 물건이든 살던 곳이든 떠나보내는 건 쉽지 않은 일이다. 세상 모든 것에는 시작과 끝이 있기 마련이다. 쉽지 않겠지만 오늘 맘마북과 이별이 아닌 작별을 한다. 이별은 제힘으로 어찌할 수 없는 헤어짐이라 했고, 작별은 제힘으로 힘껏 갈라서는 헤어짐이라 했다. 그동안 맘마북과 함께한 회원들과 아이들, 우리 이야기를 들어준 모든 이들에게 웃으며 이별이 아닌 작별을 전했다.

하지만 나는 아직도 그림책을 읽어주고 있다.

나는 여전히 그림책동아리 '왜요?'에서 아이들에게 재미난 이야기를 들려주는 이야기 장수이고, 올해는 '그림책활동가들 [같이,봄]'을 시작했다. 그림책이 나를 또 어떤 새로운 세상으로 데려다줄지 생각만 해도 벅차다.

삶의 어느 한순간 내 열정과 노력을 쏟아 부었던 흔적은 사라지지 않고 내 안에 남아 또 다른 시작을 여는 문이 되어준다는 걸 이제는 안다. 맘마북에서의 시간은 그림책 동아리 '왜요?'로 가는 문이, '왜요?'에서의 시간은 '그림책활동가들 [같이,봄]'으로 가는 문이 되었다. 맘마북은 그림책 세계로 가는 첫 번째 문이었고 마침표가 아닌 그림책 세상을 향한 힘찬 도약점이었음을 항상 기억하고 싶다.

불안 선언

진주

식물을 키우고 싶었다. 결혼하면 베란다에 정원을 만들어 꽃을 가꾸며 살자고 남편과 종종 이야기했다. 처음 우리 집에 온 식물은 친정엄마가 새순일 때부터 키워 온 산세비에리아였다. 환경에 잘 적응하는 식물이라 키우기 쉽고 공기정화에 좋다고 했다. 인터넷에서 식물에 관한 자료도 찾아보고, 나름 공부도 하며 산세비에리아가 예쁘게 잘 자라기를 바랐다. 하지만 키우는 동안 걱정은 끊임없이 이어졌다.

'지금쯤 물 줄 때가 된 거 아닌가?'
'실내에만 있어 답답할 것 같은데, 베란다에 내다 놓아 볼까?'

걱정돼서 자주 물을 주었고, 방에서 베란다로 이리저리 옮기느라 화분의 흙을 몇 번이나 쏟기도 했다. 계속 신경 쓰며 온갖 정성을 다해 식물을 돌봤지만 싱그러웠던 초록 잎사귀는 점점 색을 잃어갔다. 시들시들 병들어 가는 모습에 여기저기 영양제를 꽂기도 했다. 하루빨리 건강해지기를 바라는 마음에 한 번에 여러 개를 꽂았다. 나중에 알게 된 사실이지만 식물이 병들었을 때 영양제를 쓰는 건 역효과가 날 수 있다고 한다. 잘 키우고 싶은 마음에 했던 일들은 오히려 독이 되어 식물들을 병들게 하고 결국 죽게 만들어 버렸다. 이후로도 초보도 키우기 쉽다는 다육식물, 선인장 등을 키워 봤지만 모두 죽고 말았다.

몇 번의 경험을 통해 나는 식물 키우는 데는 영 소질이 없는 사람이라고 결론 내렸다. 지금 와서 생각해보면 자라는 식물보다 키우는 내 만족을 우선순위에 두고 있었다. 결국 식물이 시들고 죽어간 원인은 걱정과 불안이 낳은 과잉 애정이었다. 키우던 식물이 병들어 죽는 것이 다 내 탓인 것만 같아 생명을 키우는 일이 두려워졌다. 한번 불안해지기 시작하니 바람 앞 불길처럼 걷잡을 수 없이 빠르게 번져나갔다.

불안은 내가 없애겠다고 노력하면 가능하다고 생각했다. 하지만 시간이 지나면서 불안은 오히려 제 몸집을 키워갔다. 점점 더 예민해진 나는 작은 일에도 상처받고 우울해지는 날이 늘었다. 차라리 다시는 식물을 키우지 않겠다고 결심했다.

때마다 물주면 되는 거지, 식물 키우는 일이 뭐 그렇게 불안하냐고 쉽게 이야기할 수 있다. 하지만 누군가에게 별것 아닌 일이 나에게는 정말 두려운 일이 되어 버렸다. 그렇게 생각하지 않으려고 애를 써도 나로서는 어떻게 할 수 없었다. 기르던 식물이 살고 죽는 것은 주어진 환경의 영향이 더 클 텐데 내가 잘못해서 죽어버린 거라는 생각이 들자 끔찍한 기분까지 들었다. 바짝 시들어버린 식물을 쓰레기통에 버려야 하나, 아니면 땅에 묻어줘야 하나 지극히 사소한 일 하나에도 신경이 곤두서곤 했다.

내가 이렇게 식물 하나 살고 죽는 것에도 지나치다 싶을 만큼 예민하고 불안하다는 걸 사람들은 알지 못했다. 일상에서 이런 불안을 감추고 사는 일이 쉽진 않았지만, 사회생활을 하면서 만난 사람들에게 절대 들키고 싶지 않았다. 내 안의 불안을 감추기 위해 나는 끊임없이 타인의 시선을 의식했고 괜찮은 척, 아닌 척 수많은 가면을 써야만 했다. 그러는 사이 몸도 마음도 점점 더 지쳐갔다. 엄마가 되어서도 불안은 이어졌다.

둘째 아이가 초등학교에 입학할 무렵, 직장을 그만두고 남편을 따라 세종시로 이사를 왔다. 낯설기는 했지만 나를 알고 있는 사람도 없고 신경 써야 할 사람들도 없다는 사실이 오히려 마음을 편하게 해주었다. 주변 상황에 일일이 신경 안 써도 되니 불안한 마음도 조금 나아진 듯했다.

둘째가 입학하고 며칠이 지났을 때 학교에 안 간다고 울었다. 이유는 학교생활이 재미없다는 것이었다. '적응하기가 힘든가?' '친구가 없어서 외롭나?' '학교에서 계속 징징거리고 울고 있으면 어쩌지?' 하루도 마음 편할 날이 없었다, 아이의 감정변화에 따라 내 마음도 오르락내리락했다. 걱정은 늘어갔고 불안 스위치는 다시 켜졌다. 그때부터 아이와 나는 마치 한 몸처럼 함께 등하교했다. 열 일 제쳐두고 아이에게만 집중했다. 놀이터에서는 둘째의 친구가 되어 같이 놀았다. 학교에 가서도 친구들과 이렇게 놀면 된다고 하나하나 알려주었다. 그러나 몇 달이 지나도 아이의 상황은 별반 달라지지 않았다. 친구를 사귀는 것도 힘들어하고 여전히 학교에 가기 싫다며 아침마다 울었다.

한참을 고민하다 아이가 학교에 적응할 때 도움이 될까 싶어 도서관, 급식, 방과 후 봉사활동을 시작했다. 엄마가 학교에 같이 있으면 안심도 되고 좋아하지 않을까 하는 희망을 품고서 말이다. 하지만 이것 또한 내 걱정과 불안이 만든 잘못된 선택이었다. 눈에 보여야 안심이 되는 건 아이가 아니라 바로 나였다.

아이가 학교에 적응하지 못한 것은 그동안 집에서 했던 생활습관이 학교에서는 통하지 않았기 때문이다. 엄마인 나는 그동안 혼자서는 아무것도 못 하는 아이로 키웠다. 밥을 잘 안 먹는다는 이유로 내가 먹여주었고, 세수는 물론 양치까지 해줬다. 머리도 예쁘게 묶어주고 옷부터 양말까지 내가 직접 골라 입히고 신겨줘야지 안심이 되었다. 아이가 느릿느릿 신발을 신을 때면 답답한 마음에 내가 나서서 신겨주었다. 우리 아이는 아직 어리니까. 아침밥은 꼭 챙겨 먹어야 하니까. 양치를 잘못하면 충치가 생기고 아플 테니까. 혹여나 아이가 학교 안 간다고 또 울면 안 되니까. 수없이 많은 이유와 핑계를 대며 내 행동을 합리화시키고, 아이가 해야 할 것들을 하나부터 열까지 모두 해주고 있었다.

걱정과 불안은 둘째가 여덟 살이 되도록 운동화도 혼자 못 신는 아이로 키웠다. 그런 상태로 학교에 보내놨으니 아이는 첫 출발부터 좌절감을 맛보았을 것이다. 스스로 할 수 있는 것도 없고 학교에서는 엄마처럼 챙겨주는 사람도 없으니 많이 힘들었을 것이다. 의지할 친구도 없으니 혼자라는 생각에 더 외로웠을 테고 말이다. 뭐든 잘하고 싶어 하는 아이인데 깊은 좌절감을 느끼게 한 학교는 엄청난 공포로 다가왔을지 모른다.

나의 불안이 아이를 병들게 하는 줄도 모르고 계속해서 잘못된 사랑만을 주고 있었다. 아이가 아닌 내 기준에서 생각하고 판단했다. 하나부터 열까지 모든 것을 엄마가 다 해주는 건 결코 아이를 향한 진정한 사랑이 아니었다. 그걸 깨닫고 인정하는 순간, 바로 그때 서야 진짜 우리 아이 모습이 보였다. 그리고 지금 우리 아이에게 가장 필요한 건 뭘까 고민했다.

우선 아이를 기다려 주기로 했다. 너무 답답해서 차라리 내가 그냥 해주는 게 낫겠다 싶을 때도 많았지만 일단은 참고 기다렸다. 좀 서툴고 시간이 걸리더라도 혼자 양치하고 세수하고 옷 입을 때까지 기다려 주고 응원을 보냈다. 모르는 것은 방법을 알려주고 한 가지 일을 끝낼 때마다 칭찬해 주었다. 엄마가 대신 해주던 일들은 조금씩 아이가 스스로 할 수 있는 일들로 채워졌다. 더디지만 아이는 자신만의 속도로 조금씩 성장해가고 있었다.

내 모습을 있는 그대로 인정하고 나아질 수 있는 방법을 찾아 하나씩 노력해 나가는 동안 아이는 조금씩 달라졌다. 엄마가 시키는 대로 움직이고 가만히 기다리기만 했던 아이가 스스로 움직이기 시작한 것이다. 아침에 일어나 등교 준비를 하고, 울지 않고 씩씩하게 학교에 가고, 혼자서도 잘 수 있을 만큼 아이는 훌쩍 자랐다. 하지만 아이가 잘 자고 있는지 걱정돼서 빼끔히 들여다본 것은 혼자만의 비밀이다. 여전히 나는 불안 속에 살고 있다. '이불을 발로 걷어차면 어쩌나? 자다 깨서 무섭다고 울지는 않을까?' 아이가 침대 위에 누워 잠이 들 때까지 나의 레이더는 아이를 향해 있다. 지금까지 지속된 걱정과 불안이 하루아침에 없어질 리 없다. 불안은 정말 없앨 수 없는 걸까? 아니 없애야만 하는 걸까?

작년부터 용기를 내서 다시 식물을 키운다. 다행히 식물들은 죽지 않고 잘 자라고 있다. 사랑은 마음껏 주되 적당한 거리에서 지켜보고 기다린다. 작았던 식물들이 이제는 큰 화분으로 옮겨 심어 할 정도로 제법 크게 자랐다. 종류도 꽤 많아졌다. 하나씩 늘어가는 베란다의 화분을 볼 때면 저절로 미소가 지어진다. 햇빛에 반짝이는 초록 잎사귀들이 건강하게 잘 자라고 있으니 걱정하지 말라며 토닥여주는 것 같아 힘이 난다. 혹여 예전처럼 식물이 병들고 죽더라도 예전처럼 책망하며 속을 끓이지는 않을 것이다.

나는 여전히 불안과 함께 살아간다. 하지만 그 불안 때문에 힘들어하기보다 불안을 인정하고 불안을 낮추기 위한 노력을 하기 시작했다. 외출 시 각종 필수품이 들어있는 소품 가방을 꼭 챙기는 것도 그런 노력 중 하나다. 가방 안에는 두통약, 철분제, 비타민, 여성용품, 그리고 각종 간식이 들어있다. 코로나19가 한창일 때 KF94 마스크, 손소독제, 소독 티슈 등을 항상 챙기고 다녀 주변 사람들까지 아주 요긴하게 썼다. 이제는 지인들이 갑자기 필요한 것들이 생기면 나를 먼저 찾을 정도다.

혹시 실수할까 봐 일할 때도 많이 연습하고 준비한다. 돌발 상황이 생기면 머릿속이 하얗게 되고 긴장하지만 그런 내 모습도 받아들이려고 한다. 예전처럼 자책하고 속상해하며 상처받는 일은 훨씬 덜 하다.

이제 나는 불안을 감추기 위해 애쓰지 않는다. 그리고 누구를 만나던 솔직하게 이야기한다.

긴장되고 떨리는 날에는 더욱 힘주어서, 이렇게.

"저 사실, 불안감이 높은 사람입니다."

작가의 말

한박

자주 읽고, 많이 생각하고, 부지런히 쓰기로 결심한 문학 전사!
깊어져라, 깊어져라, 깊어져라!
instagram @hoau8382

작가라는 상태에서 출발

"얘가 작가에요."

지방의 한적한 커피숍에 갔을 때 주인과 책 이야기를 나눌 기회가 있었다. 그때 동행한 엄마가 사장에게 내가 출간 작가라는 말을 했다. 나는 금세 얼굴이 붉어졌다. 주인이 책 제목이라도 물을까 봐 얼른, "아, 아니에요"하면서 엄마를 끌어당겨 자리로 돌아왔다.

내 이름이 실린 나의 책을 갖는다는 건 불가능한 소원 같았다. 하지만 작년에 열일쓰와 책을 냈다. 1년 동안 일주일에 한 편씩 글을 썼고 이듬해 10월에 오직 우리의 힘으로 책을 엮어냈다. 우여곡절이 많았지만 그럼에도 감사가 넘쳤는데 어찌하여 이토록 작가라는 말이 부끄럽고 난감할까. 출간의 경험에 그릇된 점이 없고 여럿이 마음을 모아 엮느라 전우애 같은 것도 느꼈으면서 남에게 그 사실을 밝히는 것을 왜 꺼릴까? 어쩌면 글 쓰는 것에 대한 기쁨보다는 그 형태나 형식이 원하는 바와 꼭 맞지 않아서, 그러니까 출판사와 계약된 게 아니어서, 진짜 작가가 아니라는 생각 때문에 그렇게도 민망하고 낯부끄러웠던 게 아니었을까? '너도나도 작가'라는 비아냥에 은근히 동조한 건 아니었을까?

오은 시인은 "작가는 직업이 아니라 상태"라고 말했다. 그러므로 나도 작가다. 전문적인 글쓰기 실력을 갖춘 직업작가는 아니지만 무엇이든지 글과 연결하고, 심란해서 밤잠을 설치거나 새로운 것을 만나 어딘가 요동치는 마음이 감각되면 노트를 꺼내 들고 문장을 써 내려갈 줄 아는 상태에 접어들어 있다. 오래된 세탁기처럼 덜덜거리던 요란한 감정을 한 글자씩 눌러 적다 보면 컴컴했던 내 마음에 훤하게 동이 튼다. 시인이 말한 대로 작가가 상태인 것이라면 나 역시 이런 상태를 사랑하고 즐긴다. 마음의 문제들이 글을 쓰는 동안 여러 차례 해결되었다. 글쓰기를 하면서 매번 다르게 성장했고 회복했다. 감정을 열심히 쏟아낸 후에 덜어내고 정립하면서 글다운 글을 만들고자 애쓰는 동안, 삶이 준 고단한 쓴맛도 빛나는 경험이 될 수 있다는 걸 알았다. 그런데 이제 와서 우리끼리 낸 책이라고, 어디에 내세울 만한 유명한 책이 아니라고 부끄러워하다니, 어째 작가의 상태가 영 좋지 못한 듯.

이번 책은 좋은 상태가 되고 싶은 모 작가의 출발기(記)다. 매주 한편씩 썼던 힘은 썩 줄어들었지만 그래도 여전히 쓰고 있다. 글쓰기는 인생과 닮아서 매번 서툴고 예측 불가하며, 곧잘 다치고 깨지면서 나아간다. 보고 듣는 경험하는 동안, 쓰지 않고는 견딜 수 없는 어떤 생각들이 내 곁에서 죽치고 서 있다. 지금 당장 어서 쓰라고 재촉하는 키보드 앞에서 갈팡질팡하지만 기필코 하나씩 완성해 나가는 유쾌함이란 써보지 않은 자는 알 수 없다. 그렇게 다시 작가 상태를 유지한다. 무엇으로든 출발할 수 있고, 어디서든 출발하고 있는 그런 상태. 해내기를 주저하지 않는 작가 다섯 명이 힘껏 쓰고 같이 만든 열일쓰의 두 번째 산문집, [매 순간이 출발]이 출발선에 같이 서 줄 독자들에게도 위로가 되기를 바란다.

더불어, 열일쓰와 루와 가족들에게 사랑과 감사를 보냅니다.

진주

열정, 요즘 이 말이 좋다.

늘 자유로운 영혼을 꿈꾼다.

instagram @shiny_pearl1981

진짜 우리의 여행

따뜻한 봄이 시작될 때 '열일쓰'로 만난 우리들. 글을 쓰는 인연으로 만나 우리의 지난 시간을 돌아보니 같이 하길 참 잘했다는 생각이 들었습니다. 글 속에서 만난 우리의 이야기에 울고 웃고 때로는 같이 분노하며 그렇게 서로를 조금씩 더 알아갔습니다. 다른 곳에서는 드러낼 수 없었던 속마음을 글로 나누니 더 애틋하기도 했습니다.

글을 쓰면서 저는 참 많은 감정을 쏟아냈습니다. 솔직하게 나를 표현하는 동안 저는 울고 웃었습니다. 저는 그 시간이 좋았습니다. 글을 쓰다가 제 이야기에서 빠져나오지 못할 때도 있었습니다. 그 시간은 나를 알아가는 시간이 되었습니다. 이런 순간들이 제게는 정말 소중했습니다.

제 이야기는 이제 시작입니다. 『매 순간이 출발』은 저한테 하는 이야기입니다. 『나를 쓰다가 당신을 읽었습니다』에서 내 모습이 첫 설렘의 고백이었다면 지금은 『매 순간이 출발』로 또 다른 용기를 냅니다. 출발선에 설 때마다 어떤 날은 주저하고 어떤 날은 과감하게 출발했습니다. 내 글이 부족하고 서툴다는 것을 알고 있지만 저는 그 모습조차 사랑할 수밖에 없습니다.

열일쓰는 잘하고 있다고 칭찬을 아끼지 않으며 함께 글을 씁니다. 언제나 든든한 나의 멘토 해야, 츤데레는 딱 이 분이 아닐까 싶은 따뜻한 이과 언니 골방지기, 동생이지만 늘 언니처럼 다정하게 마음을 써 주는 한박, 통통 튀는 매력으로 즐거움을 주는 글짓는앤, 그대들과 함께 한 시간이 오래도록 제 마음에 남을 것 같습니다. 우리의 주제는 여행이었습니다. 책이 나오면 진짜 우리들의 여행을 함께 하고 싶습니다.

제가 좋아하는 일을 할 수 있도록 항상 지지해 주는 남편과 아이들에게 고맙고, 사랑한다고 전합니다. 나의 부족함을 채워주는 친구들에게 감사하다고 말하고 싶습니다. 이런 말을 들을 적이 있습니다. 한 번 만남은 우연이지만 두 번째부터는 인연이라고. 이 글을 읽고 있는 당신과 그런 인연으로 남고 싶습니다. 이 책이 즐거운 여행 되기를 바라며.

글짓는앤

좋아하는 것도, 하고싶은 것도 많은 ENFP
그리고 부지런히 읽고 쓰고 싶은 사람.
instagram @writinganne82

못난 글도 보듬어 준다면

출간의 기쁨보다는 부끄러움이 앞선다. 두 번째 책이니만큼 좀 더 내실을 다지고 스스로도 만족할만한 글을 쓰고 싶었지만 그렇게 하지 못했다. 좀 더 솔직해지자면 바쁘다는 핑계로 한 달에 한 편도 만족할만한 글을 내놓지 못했다. 매번 시간에 쫓겨 마감이 임박해서야 가쁜 숨을 몰아쉬며 부랴부랴 글을 썼다. 작가로서 최선을 다하지 않았고 책 한 권에 온 마음과 역량을 쏟아내지 못했음을 미리 고백한다.

자기복제가 반복되고 더 이상 새로울 것 없는 내 글이 꼴도 보기 싫었다. 어떤 발전도 없이 매번 그 자리에 머물러 있는 것 같아 화가 나고 불안했다. 하지만 그럴 때일수록 더 많이 들여다보고 보듬어줘야 한다는 걸 지금에서야 깨달았다.

출간을 앞두고 퇴고를 거듭하는 동안 자세히 눈여겨보고 어루만져 주며 비로소 내가 쓴 글들을 사랑할 수 있게 되었다. 삐죽빼죽 모난 돌 같던 글들은 주인의 손길이 닿을 때마다 점점 더 매끄러워졌다. 미우나 고우나 열심히 쓰고 다듬은 귀한 내 새끼니 앞으로도 많이 예뻐해 줘야겠다.

인간의 마음은 어찌나 변덕스러운지 작가의 말을 쓰면서도 여러 번 마음이 바뀌었다. 처음에는 최선을 다하지 못한 글이니 날 선 비판도 묵묵히 받아들여야겠다고 생각했지만 지금은 조금 부족하더라도 애정 어린 마음으로 봐주었으면 좋겠다. 그리고 불안하고 서툰 나의 여행 이야기가 독자들에게 작게나마 위로가 되기를 바란다. 이것이 나의 진심이고 바람이다.

“이렇게 형편없는 글을 어떻게 책에 실어? 내 글이 부끄러워서 도저히 못쓰겠어. 난 아무래도 안 될 것 같아” 끈기 없는 내가 투정을 부리고 포기를 선언할 때마다 붙잡아준 이들이 있었다. 열정으로 일단 쓰는 사람들 ‘열일쓰’다. 일단 조금이라도 써보자고, 다시 힘내서 해보자고 이끌어준 열일쓰가 없었다면 이 책에 ‘글짓는앤’ 이름은 진즉에 빠져있었을 것이다. 끊임없이 쓰고 지우며 나를 마주하는 힘들고도 긴 여정에 동행해준 그들에게 마음을 다해 고마움을 전한다. 열일쓰는 함께 쓰는 즐거움과 글쓰기를 통한 연대의 힘을 알게 해준 정말 멋진 친구들이다.

당신들 덕분에 2023년 올해도 무사히 마침표를 찍고, 또 다른 출발을 준비합니다.

나의 열일쓰. 골방지기, 진주, 한박, 해야 감사합니다.

-2023년 가을의 끝에서

글짓는앤

해야

한국적인 것을 좋아한다. 삼국유사 속 숱한 이야기 조각에 숨결을 불어 넣어 글로 펼쳐낼 어느 날을 꿈꾼다.

instagram @soohaeya27

오래 쓰는 사람

글쓰기는 악마의 유혹이다. 지난해 일주일에 한 편씩 수필을 써내느라 혼이 났다. 학창 시절 글 좀 쓴다는 말을 들어서 그런 줄 알고 열일쓰에 합류했다가 머릿속에 떠오르는 대로 쓴다고 글이 되는 게 아니라는 것만 깨달았다. 그런데 올해 또 열일쓰 멤버가 되어 글을 쓰고 책을 낸다. '글쓰기 싫다'를 입에 달고 살면서 또 이러고 있는 아이러니한 상황을 보니 글쓰기의 유혹은 치명적인 것이 분명하다.

그 치명적인 유혹에 빠져 올해도 꽤나 끙끙댔다. 주제를 정하고 에피소드를 골라 한 편의 글로 마무리해 합평 자리에 가면 다시 쓰는 게 아니라 그만 써야 하나? 하는 생각을 안고 돌아왔다.

하지만 퇴고의 과정이 정신없던 내 글이 뚜렷해지고 쓰려고 했던 내 마음이 올곧게 드러나는 과정이었음을 안다. 그렇게 홀로, 다 함께 머리를 맞댄 원고들이 책으로 완성되려 한다. 길고 긴 터널 끝에 눈부신 설국의 아침을 기다리듯 기대하는 마음은 설렘으로 떨린다.

이번 책을 끝으로 글은 그만 써야지 했던 마음이 작가의 말을 쓰며 다시 돌이켜진다. 글을 쓰기 위해 사소한 일상에도 관심을 쏟고, 찰나에 머물다 흩어져버릴 생각들을 붙들고 곰곰이 따져보던 그 과정이 내 삶을 더 가치 있게 했음을 알겠다.

수필은 붓 가는 대로 쓰는 글이다. 마음의 부담을 내려놓고 깨끗한 백지 위에 장난치는 어린애처럼 나의 이야기를 마음껏 풀어내 보고 싶다. 일단 오래 쓰다 보면 썩 괜찮은 글도 써내지 않을까 낙관하면서 말이다.

어느 길로 가야 할지 더 이상 알 수 없을 때 그때가 비로소 진정한 여행의 사작이라는 말처럼 좋은 글에 대한 부담을 훌훌 털고 오래 쓰는 사람을 목표로 가보는 거다. 매 순간이 출발이다.

함께 쓰고 책을 만들며 우정을 쌓은 열일쓰 작가님들께 사랑과 존경을, 또 가족과 친구들에게도 애정을 담아 감사를 전한다.

- 가을이 활짝 피어나는 날에 해야.

골방지기

읽고 쓰고 그리고 보고 듣고 놀며

꿈꾸는 욕심많은 골방지기

instagram @with.moonrabbit

골방에서 쓰는 반성문

작년 나는 나에게 '출간 작가'라는 타이틀을 달아줬다. 남이 달아준 이름은 아니어서 사람들 앞에서 내세우기 부끄러웠다. 그냥 『무사히 마침표를 찍었습니다』라는 책 제목처럼 특별했던 임무를 무사히 완수했다는 사실에 만족할 따름이었다.

올해 함께 마침표를 찍었던 사람들과 두 번째 책을 기획하면서 사실 들떠있었다. 작년보다 잘 쓰지 않을까 되지도 않은 기대를 하고 있었다. 그런 기대는 첫 번째 글에서 무너졌다.

올해 글쓰기는 정말 힘들었다. 들떠 시작했지만 꾸준하지 못했다. 매달 쥐어짜듯이 한 달 한편의 글이 나왔다. 나오는 글은 장난스러운 낙서 같았다. 이유 없는 들뜸에 쓰인 글에는 사색이 사라지고 전혀 멋지지 않은 겉멋만 담겼다. 글쓰기라는 작업은

쉼이 없어야 하고 일상에서 보이는 모든 것들에 대해 사유(思惟)해야 한다. 그런데 난 이달의 글 마감 전 며칠만 고민하고 사고했다. 다듬을 시간이 없어서 글은 거칠었고 두서없었다. 합평할 때는 작가의 생각이라고 고집만 부렸다. 다시 읽어보니 그들이 옳다.

대략 글을 수정하고 골방에 앉아 회개한다. 신성한 글쓰기 앞에서 건방졌음을, 스스로 단 이름이라는 사실을 잊고 '출간 작가'라는 타이틀에 오만했음을, 나만의 독선에 빠져 다른 글벗들의 의견을 듣지 않았음을 반성한다. 또 항상 함께해주는 그들에게 감사를 전한다. 여러분들의 의견이 옳았다. 여러분들의 눈길이 닿은 글은 덕분에 조금은 글다운 글이 되었다.

삶의 여행이 주제였던 글을 쓰면서 나는 여러 추억 속에서 머물 수 있었다. 파리의 거리에 잠깐 머물렀고, 오베르 마을에 들리기도 했다. 보고 싶은 친구와 함께했던 그때로 다시 돌아보기도 했고, 일상에서 느꼈던 죄책감을 다시 대면하기도 했다. 같은 곳을 향해 가고 있는 친구들에게 세레나데를 보내기도 했다. 그렇게 이야기를 마무리했지만, 여전히 부족하고 아쉽다. 그러나 이번에도 역시 무사히 마침표를 찍었고, 또다시 새로운 출발선에 선다.

열일쓰의 **열정으로 일단 쓰기**는 계속 됩니다